漢湘文化

閱讀新視界・生活新主張

漢湘文化
閱讀新視界・生活新主張

漢湘文化
閱讀新視界・生活新主張

漢湘文化
閱讀新視界・生活新主張

歷史經典二

唐浩明 著

曾國藩血祭

卷(二)

出版者序

「曾國藩」一書分血祭、野焚、黑雨三卷，是一部百餘萬字的長篇歷史小說。作者唐浩明先生研究清史十餘年，蒐集的資料堆滿家中書房，對曾國藩及太平天國歷史的考究尤爲深刻。作者以輕鬆的筆調，用小說的方式撰寫此書，內容符合史實，其中人物的刻畫與描寫，生動而傳神，充分發揮了作者的文學才華與史學功力。

此書以曾國藩爲主軸，寫他治軍行事的用人方針，也寫他的處世哲學與人生觀，以清末衆多的歷史人物如朝中大臣——如胡林翼、左宗棠、李鴻章……等爲軸，交織此一長篇鉅著，書中情節的發展，絲絲入扣，能吸引讀者不斷產生興趣，愛不釋卷。

曾國藩是影響清末歷史的一位重要人物，他創造湘軍，以捍衞孔孟名敎爲號召，弭平洪揚。其立身行事，爲後代諸多知名人氏所推崇。但作者也藉書中人物表達了歷年來人們的另一種觀點：曾國藩平定太平天國後，囿於忠君敬上，保全已身之小節，自剪羽翼，裁撤二十萬湘軍，無視滿清腐敗、生靈塗炭、救國救民之大義，辜負億萬百姓期望驅除羶腥，恢復神州之熱望，徒讓史冊留下一樁憾事。當然，對歷史的評價，有見仁見智之看法，端視讀者從何種角度去研判！或許當讀者閱覽此書時，對書中之主角會有不同之評論。

此書在大陸出版時，曾造成搶購熱潮，本公司取得台灣版權後，以繁體字印行，也引起熱烈回響。今再版出書，又經細校，期望達到無錯字的地步，或仍有疏漏，尚祈讀者不吝指正。

胡明威

目錄

〈卷一〉

第一章　奔喪遇險

一　湘鄉曾府沉浸在巨大的悲痛中……3
二　波濤洶湧的洞庭湖中，楊載福隻身救排……8
三　擺棋攤子的康福……17
四　康家圍棋子的不凡來歷……30
五　喜得一人才……38
六　把這個清妖頭押到長沙去砍了……42
七　哭倒在母親的靈柩旁……54
八　蟒蛇精投胎的傳說……63
九　刺客原來是康福的胞弟……65

第二章　長沙激戰

一　城隍菩薩守南門……73
二　康祿最先登上城牆……78
三　今日周亞夫……84
四　歐陽兆熊東山評左詩……93
五　計賺左宗棠……108
六　巡撫衙門裏的鴻門宴……114
七　藥王廟裏出了前明的傳國玉璽……123
八　左宗棠荐賢……132
第三章　墨経出山
一　謝絕了張亮基的邀請……137
二　世無艱難，何來人傑……144
三　接到嚴懲岳州失守的聖旨，張亮基暈死在簽押房裏……151
四　陳敷游說荷葉塘，給大喪中的曾府帶來融融喜氣……158
五　郭嵩燾剖析利害，密謀對策，促使曾國藩墨經出山……175

〈卷二〉

第四章　初辦團練
一　亂世須用重典…… 3
二　曾剃頭…… 9
三　寧願錯殺一百個秀才，也不放過一個衣冠敗類…… 22
四　鮑超賣妻…… 37
五　拿長沙協副將清德開刀…… 47
六　大鬧火宮殿…… 59
七　停屍審案局…… 78
八　逼走衡州城…… 83
第五章　衡州練勇
一　王鑫掛出「湘軍總營務局」招牌，遭到曾國藩的指責…… 89
二　忍痛殺了金松齡…… 95
三　從釣鈎子主想到辦水師…… 109

四　接受船山後裔贈送的寶劍……115
五　一個鍾情的奇男子……130
六　把籌建水師的重任交給彭玉麟、楊載福……147
七　湘江水盜申名標……152

第六章　靖港慘敗

一　爲籌軍餉，不得不爲貪官奏請入鄉賢祠……161
二　出兵前夕，曾國藩親擬檄文……166
三　青年學子王闓運的一番輕言細語，使曾國藩心跳血湧……175
四　曾國藩躊躇滿志，血祭出師；一道上諭，使他從頭寒到腳……180
五　定下引蛇出洞之計……185
六　利生綢緞鋪來了位闊主顧……192
七　曾國藩緊閉雙眼，跳進湘江漩渦中……204
八　左宗棠痛斥曾國藩……210
九　白雲倉狗……221

十　兄才勝我十倍……228

〈卷三〉

第七章　攻下武昌

一　青麟哭訴武昌失守……3
二　湖北巡撫做了彭玉麟的俘虜……6
三　薛濤巷的妓女蠶兒眞心愛上造反的長毛頭領……13
四　康福揮刀砍殺之際，一眼看見了弟弟康祿……27
五　一律剜目凌遲……32
六　來了個滿人兵部郎中……36
七　明知青麟將要走向刑機，曾國藩却滿面笑容地說：我將爲兄台置酒餞行……46
八　康福的絕密任務……53
九　一顆奇異的瑪瑙……57
十　一箭雙鵰……61
十一　曾國藩身著朝服，隆重地向湘勇軍官授腰刀……70

十三　曾國華率勇來武昌，王璞山請調回湖南……81

第八章　田鎮大捷

一　周國虞橫架六根鐵鎖，將田家鎮江面牢牢鎖住……93
二　三國周郎赤壁畔，美人名士結良緣……97
三　從蘄州到富池鎮，太平軍和湘勇在激戰著……124
四　彭玉麟洪爐板斧斷鐵鎖……137
五　委託東征局辦厘局……145
六　康福帶來朝廷絕密……149

第九章　江西受困

一　潯陽樓上，翼王揮毫題詩……177
二　水陸受挫，石達開一敗曾國藩……190
三　水師被肢解，石達開二敗曾國藩……197
四　湘勇厘卡抓了一個鴉片走私犯，他是後載縣令的小舅子……204
五　參掉了同鄉同年陳啓邁的烏紗帽……219

六　塔死羅走，曾國藩感到從未有過的空虛……223
七　樟樹鎮受辱，石達開三敗曾國藩……232
八　在最困難的時期，曾氏三兄弟密謀籌建曾家軍……245
九　鄒半孔出賣奇計……257
十　大冶最憎金踴躍，哪容世界有奇材……265
十一　重踏奔喪之路……277

第四章　初辦團練

一　亂世須用重典

緊靠巡撫衙門的魚塘口，新開辦了一個衙門，招牌上寫著「湖南審案局」五個大字。曾國藩在這個衙門裏辦事，當起以安境保民爲主要職責的幫辦團練大臣已經有兩個月了。記得進長沙的那一天，他和郭嵩燾、國葆、康福一行來到大托鋪時，江忠源便帶著一百楚勇在鎮上恭候，親自陪他們進城。來到新開鋪時，左宗棠又帶著一班長沙鄉紳和昔日師友，如黃冕、孫觀臣、陳季牧及岳麓書院山長丁善慶、城南書院山長丁輔臣等來迎接。來到又一村巡撫衙門口，只見中門大開，張亮基帶著前鄂撫羅繞典、布政使潘鐸、按察使岳興阿及鹽道、糧道等一批高級官員早已等候在那裏。當夜，張亮基在巡撫衙門大擺酒席，爲曾國藩洗塵。張亮基如此隆重而誠懇地迎接，使曾國藩深爲感動。一連幾天，張亮基和曾國藩密談。二人對湖南吏治鬆弛、匪盜橫行，都深惡痛絕。曾國藩認爲亂世須用重刑，對官場要嚴加整飭，尤其對匪盜要嚴加鎭壓。張亮基完全贊同。對曾國藩所持的「寧可失之於嚴，不可失之於寬」的方略，張亮基也甚爲欣賞。曾國藩又提出在省城建一大團，從各縣已經訓練的鄉勇中擇其優者，招募來省，嚴格訓練，以這支團練來保衛省城安全，鎭壓各地匪亂的建議。張亮基個人也表示同意。只是玆事體大，要曾國藩親給皇上上一奏章。最後，張亮基緊握曾國藩的雙手，說：「今後有關湖南保境安民的一切，都拜託給仁兄了，全仗大才經緯。湖南是仁兄桑梓，仁兄對湖南的摯愛之心，定不在亮基之下，千萬莫存避嫌之念。盡管放開手脚，施補天之術，使三湘父老早得安寧。」

這番話，說得曾國藩熱血沸騰，恨與張亮基相見太晚，對先前的謝絕頗感愧赧。

第二天，曾國藩便向朝廷呈上一道奏折。曾國藩要在省城建大團，自然並不是僅僅爲了防衞省城，鎮壓匪亂。他的主要意圖在於建立一支新軍。他的想法是：先招募少數人，加以嚴格訓練，使之起到以一當十的效果；然後以這批人爲骨幹，再招募十倍二十倍的人，立即就可成爲一支勁旅。到時拉出省外，與太平軍較量。滿人對漢人向來防範甚嚴，兵權由朝廷牢牢控制，從不放心讓漢人多帶兵，更不允許有人像明代戚繼光那樣建「戚家軍」。或許是曾國藩的奏折寫得含糊，或許是由於時局危急，咸豐帝知綠營不足依靠，希望有一支新的軍事力量出現，也或許有恭王、肅順和唐鑑的竭力擔保，使得咸豐帝特別相信曾國藩，居然很快便親自批覆：「悉心辦理，以資防剿。」

曾國藩奉了這道聖旨，立刻把羅澤南和他的幾個高足調來長沙。他的一千團丁，經過挑選後，帶來八百。這些團丁編爲兩營，每營三百六十人。羅澤南帶一營，王鑫帶一營。又從中抽調八十名精悍團丁，組成親兵隊，由曾國葆統領。曾國藩又親自通過考核比較，從八十名親兵中挑出彭毓橋、蕭慶衍等六人來，由康福負責訓練，充當自己的貼身保鏢。這六個人都是曾國藩的親戚或世誼。曾國藩認爲，大團練勇中的大小頭目，都必須有親誼關係，這是將這支練勇連爲一個堅强整體的紐帶，彼此之間才能榮枯與共，生死相關。曾國藩叫羅澤南、王鑫全力練勇，另外再請幾個委員來辦理日常案件。一聽說新開辦的審案局衙門中要委員辦事，立即便有許多官員和紳士前來推荐人。曾國藩本想自己物色，不受推荐，但一來一時不易找到合適的人，二來剛辦事礙不過情面，便從那些被荐人中挑出十餘名，委託過去岳麓書院的同窗好友在籍江蘇候補知州黃廷瓚負責。

春節剛過，道州天地會頭領何賤苟，以道州岩頭村、常寧五洞、桂陽白水洞、寧遠賴子山爲據點，發牌吊碼，擴大組織，會衆發展到四、五千人，分佈十餘州縣，在太平軍節節勝利的鼓舞下，宣布起義，自稱普南王，圍攻縣城，殺把總許得祿、典史吳世昌。曾國藩速派劉長佑、李朝輔帶楚勇四百、王鑫帶湘勇四百前去鎮壓。剛出發不久，衡山草市劉積厚又起事。曾國藩急忙派人通知王鑫，叫他先去草市，然後再去道州。過幾天，安化藍田串子會又宣布起義，江西上猶劉洪義的義軍進入桂東，殺死淸兵把總呂志漳、紳士黃達三，進據沙田。還有攸縣的紅黑會、桂陽的半邊錢會、永州的一股香會，都在積極發展會衆，醞釀起事。更使曾國藩頭痛的是，這幾個月裏，又新冒出一批游匪。這批游匪主要有三種人：一種是從岳州、武昌、漢陽等城逃出的兵勇，無錢回家，又無營可投，沿途逗留，隨處搶竊；一種是太平軍與清兵交戰過程中，被燒了房屋而無家可歸的百姓，弱者淪爲乞丐，强者聚衆生事；一種是淸兵行軍打仗中所擄的長夫，用過之後，沒有盤纏回家，於是輾轉流落，到處滋擾。這些游匪大半混迹市井，破壞性很大。

曾國藩指示審案局，對這些危害社會治安的不良分子，一律處以重刑。爲著鼓勵團丁，他規定，凡捉一匪徒，賞銀五兩。重賞之下，團丁個個踴躍，有的一天甚至捉幾個送來。不管是游匪、土匪、搶王、盜賊及其他鬧事者，捉一個，殺一個。不管誰來講情，曾國藩都不寬宥。他常對委員們講，鎭壓匪亂，要心狠手辣，不講仁慈，要以申、韓、商鞅的手段辦案，不要怕今後得車裂的下場。爲著收到殺一儆百的效果，曾國藩命人製作十個木籠，取名叫站籠。站籠約一人高，犯人頭卡在木枷中，四肢捆綁，站在籠子裏。白天用車拉著，在城內四處遊街。夜晚則放在露天裏，派兵守住。不給吃，也不給喝，不出三、四天，犯人便慘死在籠子裏。這十個站籠天天都裝著犯人，天天都在長沙城內巡遊，弄得全城百姓見之發怵，無人不知審案局的幫辦團練大臣曾國藩殘忍酷毒。士民鄉紳要求廢除站籠施行仁政的狀子，雪片似地飛往巡撫簽押房，有幾個心腸軟的委員們也到張亮基那兒告狀，並以辭職相威脅。張亮基對此一概不理，反而稱讚曾國藩有膽有識、剛强幹練，心中甚爲得意。

但不久，政局發生了重大變化。

自太平軍在江寧建都立國，與朝廷作對，一百八十年前的三藩之亂重演以來，朝廷在任命曾國藩爲第一個幫辦團練大臣後，又火速在安徽、江蘇、江西、直隸、河南、山東、浙江、貴州、福建九省任命四十二個幫辦團練大臣，用以協助地方文武鎭壓各地風起雲湧的騷亂。太平軍聲威大振，東南河山烈焰騰空，千里長江，戰艦如雲。向榮、張國梁奉命帶領從廣西跟蹤出來的綠營沿江追擊，在江寧南部建江南大營，把江寧城團團圍住。琦善帶著一支軍隊匆匆南下，在長江北岸揚州建起江北大營，虎視江寧。本已積貧積弱、災難深重的中國百姓，從此以後，又陷於血與火的戰亂之中，命運更加悲慘。

武漢三鎭失守，使咸豐帝大爲震怒。署湖廣總督徐廣縉被革職嚴辦，張亮基奉調到武昌，接替徐廣縉的空缺。張亮基視江忠源爲左右手，他把江忠源及其一千楚勇也帶到武昌。剩下的五百楚勇編爲一營，由江忠源的表兄鄒壽璋、弟弟江忠濟統帶，作爲大團的第三營，接受曾國藩的指揮。這時，郭嵩燾也離開長沙回湘陰募捐。接著羅繞典奉命到江西當巡撫，潘鐸因病告免，岳興阿遷升湖北布政使。駱秉章又回到湖南來當巡撫，他請朝廷調老僚屬徐有壬從雲南到長沙來當布政使，又向朝廷推荐衡永郴桂道陶恩培升任按察使。一時間，湖南高級官員更換一新。在曾國藩看來，駱秉章庸碌、徐有壬平凡、陶恩培無能，他從心裏瞧不起。曾國藩知道今後會有掣肘，但他不顧這些，仍然像張亮基在長沙時那樣我行我素地幹下去。

近來，長沙城裏常有小股騷亂，搶竊、鬥毆、聚衆鬧事等時有發生。團丁一去，肇事者先聞訊走了，往往抓不到。曾國藩很是惱火。爲著警告鬧事的匪徒，也爲著在新巡撫面前表示團練堅決鎮壓的强硬態度，曾國藩親自草擬「格殺勿論」的告示，印刷數百份，每份都蓋上「欽命幫辦團練大臣曾」的紫花大印，大街小巷，城門碼頭，廣爲張貼。又加派團丁，四處巡撫監視，市中心和各主要街道上，更是嚴加防範。百姓人人低眉斂容，生怕與鬧事匪徒沾上邊。長沙城儼然處於恐怖之中，幾天來，一片肅殺死寂。眼看堅決鎮壓的措施取得成效，曾國藩想：看來嚴刑峻法，確爲治國治民的不易之道。

誰知沒有安靜幾天，長沙城又爆發一場更大的騷亂。

二　曾剃頭

這天上午，曾國藩正在審閱道州報來的告急文書，一個團丁急匆匆闖進審案局報告：

「曾大人，出大事了！」

「什麼事，這樣驚慌？」曾國藩兩眼離開告急文書，盯著那團丁問。

「大人，有人搶米行。」團丁急忙回答，緊張的神態還沒恢復過來。

「有這樣的事？」曾國藩頗感意外。這幾個月來，長沙城鬧事雖多，搶米行却還從來沒有出現過。他意識到事態嚴重，不禁有些急迫，「搶的哪家米行？有多少人？」

曾國藩的凶惡神態，使團丁嚇了一跳，一時語塞，竟答不出話來。

「快說！」曾國藩又盯了團丁一眼，心裏罵道，「一個不中用的膿包！」

團丁定定神，結結巴巴地回答：「小西門，不，說錯了，是大西門內五穀豐米行。人很多，很多，怕有一、兩百，也可能有兩、三百。」

「曾國葆！」國葆急忙來到大哥身邊，曾國藩果斷地命令：「將你的親兵隊所有團丁集合起來，帶著他們立即趕到大西門內五穀豐米行，把打劫米行的歹徒一個不漏地抓住。有抵抗者，就地處決！」

「是！」國葆答應一聲，轉身出門。

「停一下！」曾國藩喊住滿弟，「叫彭毓橘騎一匹快馬，到羅山營裏調一百團丁支援你！」

待國葆出去以後，曾國藩換上平民衣服，戴上墨鏡，由康福、蔣益澧保護，悄悄出了審案局，抄小道奔向大西門。審案局離大西門不遠，兩刻鐘後便到了。曾國藩見五穀豐米行前人山人海，除看熱鬧的外，有上百人或提著米袋，或拿著木桶、臉盆等圍在米行門前，大部分是老人小孩，有人在給他們發米。人羣中不斷發出一陣陣哄笑聲。米行四周一片亂糟糟。曾國藩小聲罵著：「這些無法無天的匪徒！開倉放糧，豈不是要造反嗎？」

這時，曾國葆帶領的親兵隊六十多號團丁由北面趕來，彭毓橘帶領的羅山營一百號團丁從南面趕來，已將米行團團包圍了。人們見此情景，嚇得雞飛鴨走，不少人丟下手中的米袋、木桶，倉皇逃竄。團丁們抓住了幾十個背米的老人、小孩，粗暴地喝罵、拳擊，被抓的人跪在地上磕頭求饒，哭著叫著，呼天喊娘，情景甚是淒慘。曾國藩命蔣益澧傳令：「圍觀的、背米的，一律不抓，為首的、搶米的，全部抓到審案局來。」

說罷，帶著康福悄悄離開現場回衙門。

一個時辰後，國葆前來報告：抓到歹徒十三名。曾國藩指示黃廷瓚立即審訊。過會兒，他又想起一件事，從抽屜裏拿出一張紙來，寫著：

「叔康兄：審訊時請留意，歹徒中是否有會堂分子，或是與會堂有聯繫者。」

寫完封好，叫荊七送給黃廷瓚，接著拿出上午未看完的告急文書，聚精會神地看起來。

深夜，黃廷瓚前來滙報審訊情況。

五穀豐米行老板吳新剛，是個貪婪刻薄、心腸陰毒的商人。多年來。他使用許多不法手腕，擠垮附近幾家同行，壟斷了從南門到大西門一帶的米業，常常抬高市價，以次充好，短斤少兩，坑害市民，聚斂了萬貫不義之財。百姓背地裏都罵他「無心肝」。這「無心肝」偏又最會巴結官府，尋找靠山，盡管市民對他恨之入骨，却又奈何不得。這時，正是長沙城內缺米的時候，「無心肝」以低價從外地購得一批霉米、朽米，摻在好米內，高價賣給市民。市民們受此坑害，莫不破口大罵。這時惱了一個漢子。此人名叫廖仁和，住在大西門外，是個碼頭上的脚伕，人生得牛高馬大，好打抱不平。他一聲吆喝，帶著十多條漢子衝進五穀豐米行，把「無心肝」痛打一頓。圍觀的人拍手稱快。有人喊：「廖大哥，乾脆把倉庫裏的米分給百姓，出口怨氣！」人羣中一片附和聲。廖仁和平時吃了「無心肝」不少苦頭，想想這不義之財，百姓取之何妨，遂應了大家的請求。附近百姓紛紛前來分米，鬧成了一場大事！

曾國藩靜靜地聽著黃廷瓚的審訊報告，眼睛半瞇著，臉上沒有任何表情，心中在思考著如何處理這樁案子。這明擺著是百姓對奸商的懲罰。像五穀豐老板這樣的奸商，比比皆是，用不著再取什麼旁證，曾國藩相信審訊報告是眞實的。但這樁案子鬧得很大，弄得長沙城人心浮動，如果不嚴加懲罰，不法之徒便會蜂起效尤，搶米行、搶商店、搶錢莊，那不翻了天？要徹底斷絕效尤者的念頭，非嚴懲不可！打定了主意，曾國藩問黃廷瓚：「叔康兄，你看此事如何處理？」

黃廷瓚想了想，說：「吳新剛爲商奸詐，百姓自發起來懲處，於情理來說，百姓無罪；從律令上講，有礙社會安定。無論如何，此風不可長。依卑職之見，這十三名鬧事者，爲頭的廖仁和，杖責一百棍，遊街三日，其餘的人各杖責五十棍，釋放回家。」

黃廷瓚的處理，按通常民衆起哄鬧事而言，完全符合朝廷律令。不過，現在是亂世，亂世辦案，不能循常規。「這個書呆子辦事，就是迂了點。」曾國藩在心裏說。

黃廷瓚爲人的確迂直。這一點，曾國藩與他在岳麓書院同窗時就已深知。正因爲迂直，他在官場上混得不順利。在江蘇候補知州，一候就是三年，後來的早已赴任，他卻一直得不到實缺，弄得衣食無著，寒酸不堪，老娘死了，連回籍奔喪的路費都沒有。也正因爲迂直，却被曾國藩看中。曾國藩喜歡這種不會使乖弄巧，心地踏實的人。他認爲當今官場腐敗，就由於巧佞之徒太多、迂直之人太少的緣故。曾國藩將審案局的日常事務，委託黃廷瓚負責，其他委員辦的事，也要黃廷瓚審查。黃廷瓚對曾國藩感恩戴德，盡心盡力地辦事。一般案件，曾國藩都依黃廷瓚的處理意見，但這件事，却不能按他的意見辦。

曾國藩把此事處置不重，將會引起不良後果的利害關係，向黃廷瓚剖析了一番，終於使黃廷瓚信服了。

「重判可以。爲首的囚禁三年，協辦的分別囚禁三到六個月。」黃廷瓚提出了從重的方案。

「這些人與會堂有聯繫嗎？」曾國藩不對黃廷瓚的方案置以可否，却提出了另一個問題。

「接到大人的手諭，卑職著重審訊了這件事。有人供稱爲頭的廖仁和與串子會有些聯繫，但沒有證據。」

「除廖仁和外，那十二名都是些什麼人？」

「十二人都長住大西門一帶。有四人曾被長毛擄去當過長伕，有三人原爲駐守武昌的綠營，武昌被長毛攻陷後，逃回來的。另外五名也都無固定職業，其中有三人因打過人，被按察使司傳訊過。」

「這就對了。」曾國藩點點頭。「我說這些人爲何這樣無法無天，原來不是游匪，便是流氓，竟無一個安分守己的良民。對付這種人，殺頭亦不過分。」

「殺頭？」黃廷瓚大吃一驚，再重也重不到殺頭呀！

「誰？」正說話間，曾國藩見窗外似有一人影閃過，「荊七，你到外面去看看。」

一會兒，荊七捧著一個紙套進來，說：「人沒見到，只見門口擺著這個東西。像是信套，却又很重。」接著，雙手遞了過去。

曾國藩看時，是個信套。他用力扯開，只見一把明晃晃的短刀從裏面筆直掉下來，刀尖插進地板中，刀把在微微擺動。黃廷瓚嚇得臉色變白，曾國藩也嚇了一跳，但很快鎮靜下來，强笑道：「誰給我送來這樣鋒利的短刀！」

說著從信套裏抽出一張紙來，黃廷瓚湊過臉去看，只見紙上歪歪斜斜寫著兩行字：「放人，萬事俱休；不放，刀不讓人。」旁邊用紅、藍、黑三色筆畫了三個互相套著的圓圈圈。黃廷瓚驚叫道：「這是串子會的人幹的！」

「你怎麼知道？」曾國藩問。

「這三色圈圈便是串子會的標記。」黃廷瓚這幾個月親自審訊過不少案件，懂得一些會堂黑幕。

「想以死來威嚇我？哼！」曾國藩鄙夷地冷笑，「本部堂兼過兵部堂官，還怕這幾個草寇！」

「聽說串子會有兩、三百號人。」黃廷瓚的心還在跳。

「兩、三百號人怎麼樣？我們有一千多號團丁，還怕他們翻天不成？」曾國藩突然略帶興奮地說，「叔康兄，你剛才還說廖仁和與會堂的聯繫沒有證據，現在證據送上門來了。倘若廖仁和這批傢伙不是串子會的人，串子會怎會送這封恐嚇信？」

黃廷瓚說：「大人分析得有道理，看來廖仁和是串子會裏的人。」

「是串子會的人，就更應該重判了。事不宜遲，我看明天一早就把這批人押到紅牌樓去殺頭示眾。」

「全部殺頭？」黃廷瓚驚疑地問。

「全部殺頭。」曾國藩沉下臉。

「其中有一個十七歲的孩子、一個六十二歲的老頭，是不是從寬處理？」

「不分老少！這種人，留下一個，就留下一個隱患。與其日後爲害社會，不如現在殺掉了事曾國藩的態度如此堅定，黃廷瓚不敢再說什麼了，只是期期艾艾地嘀咕：「一次殺十多個人，審案局成立以來，在長沙城裏還沒有過，最好先跟駱中丞打個招呼，請來王旗再殺人，省得以後招致口舌。」

「你說的有道理，倘若沒有這封恐嚇信，是應該先告訴駱中丞，請來王旗。但現在却不能按常規辦事了，早殺早安寧。萬一明天夜裏串子會衝進審案局搶人，怎麼辦？殺這種會堂匪徒，駱中丞不會不同意的。」

「我看，五穀豐老板吳新剛也要抓起來，不抓不能平民憤。」黃廷瓚又提出一個問題。

曾國藩沉吟良久，默不作聲。黃廷瓚似乎得到了鼓舞，頗爲激動地說：「大人，騷亂要鎮壓，但貪官污吏、奸商惡棍也要懲辦。」

曾國藩點點頭，說：「叔康兄，你的話說中了要害，但眼下我無權辦這種事啊！我不過一在籍侍郎，暫時奉命幫辦團練，只能鎮壓匪亂，無權懲辦腐敗。不在其位，不謀其政呀！」

曾國藩撫著黃廷瓚的背，凝視著窗外漆黑的夜景，略停片刻，輕輕地說：「叔康兄，有朝一日國藩能任一方督撫，一定請你前去襄助，我們齊心合力，清除貪官污吏，打擊奸商惡棍，先從自己做起，兢兢業業，克勤克儉，爲皇上辦事，做全省官吏的榜樣，整頓社會秩序，扭轉不良風氣，做一番移風易俗、陶鑄世人的偉大事業，方不負我們當初在岳麓書院的寒窗苦讀。」

黃廷瓚渾身熱血奔騰，他緊緊握著曾國藩的手，激動地說：「好！到那時，廷瓚一定鞠躬盡瘁，死而後已。」

黃廷瓚走後，曾國藩從地上抽出那把短刀，細細地看看、摸摸，然後放進信套，一起鎖進櫃子。這一夜，曾國藩不住原來的臥室，揀了一間衙門中最不起眼的小房間睡下，叫康福、蔣益澧等人睡在他的旁邊。

第二天，當天色尚未全亮的時候，曾國藩命國葆帶領一百五十號團丁，押解廖仁和等十三名搶米行的犯人前往紅牌樓。國葆不解：「大哥，天尚未亮，不可以晚一點嗎？」

曾國藩嚴肅地對滿弟說：「你還年輕，不懂得世界的複雜。這些人既然與串子會有聯繫，難保串子會不中途攔搶，還要提防他們劫法場，所以要愈早愈好。你一到紅牌樓，就命團丁將四方路口堵好，不能放一人進來。一交卯正，便發令行刑。」

國葆押解犯人走後不久，荊七便慌慌張張進來稟報：「大人，衙門外黑壓壓地跪著一大片人，口口聲聲要見見大人。」

「是些什麼人？」曾國藩警覺起來，心想，「難道是串子會的人來了不成？」

「大半是老頭老太婆，看來不像是歹人。」荊七回答，「要嗎，大人下令，叫康福帶團丁轟走算了。」見曾國藩在猶豫，荊七自作主張地說：「我這去叫康福。」說完扭頭便走。

「回來！」曾國藩叱道。他對荊七這個行動甚為惱火，荊七惶恐地站在原地，等候訓斥，但曾國藩並未訓斥他、只是吩咐，「叫康福帶著蔣益澧、蕭啓江等人跟著我，我要親自見他們。」

曾國藩整了整衣冠，邁著穩健的步伐，不慌不忙地走出衙門外，果然見外面跪著幾十個頭髮斑白的老翁老嫗。那些人見曾國藩一出來，便亂哄哄地喊著：「曾大人，曾大人。」頭不停地叩著。曾國藩和顏悅色地說：「諸位父老鄉親，不知喚鄙人出來有何賜教？」

一個鬚髮皆白，身穿舊布長袍的老者，拄著拐杖站起，說：「曾大人，各位公推老朽說幾句話。」

老者剛一開口，便咳嗽起來。曾國藩高喊：「荊七，拿條凳子來，讓老伯坐下說話。」

老者連稱不敢，見荊七眞的搬了凳子來，也便坐下。康福也為曾國藩搬了把太師椅，但他並不坐。

「各位鄉親都說，曾大人這幾個月來，嚴厲鎭壓匪亂，長沙風氣大為好轉，這是曾大人的功勞。不過，」老者又咳起來，吐了一口痰說，「昨天，大西門內搶米之事，實乃奸商吳新剛逼出來的。廖仁和等爲受害四鄰打抱不平，開倉放糧，也是應百姓所求。且吳新剛倉中堆積的穀米，完全是這幾年盤剝市民所得，現將它還給市民，亦不能稱之爲犯法。老漢今年八十了，年輕時也讀過幾年書，《禮》曰：『賊賢害民則伐之。』吳新剛一貫害民，廖仁和等施以懲罰，亦合古訓。望大人憐搶米者事出有因，寬恕其舉措不當，釋放廖仁和等十三人，以孚衆望。另外，昨日數百名得米者亦惶惶不可終日，一並求大人開恩。」

老者說完，跪著的人一齊喊：「求大人開恩！」

曾國藩冷冷地掃視著人羣，心裏狠狠地罵道：「一羣糊塗的人！」他強壓惱怒，仍舊用平緩的口氣說：「各位鄉親父老們，鄙人奉聖旨辦團練，目的在鎮壓騷亂，保境安民。剛才這位老伯說的，幾個月來長沙風氣有所好轉。鄙人深謝各位的支持。五穀豐老板吳新剛貪婪害民，鄙人亦有所聞。倘若昨日搶米者果眞出自義憤，盡管舉措不當，造成騷亂，鄙人亦可考慮從寬處理。但是，鄉親們，」說到這裏，曾國藩提高嗓門，語氣變得冷峻起來，「你們都受欺騙了，廖仁和等十三名罪犯，根本不是見義勇爲的豪傑，而是會堂匪徒！他們都是一批狠心狗肺的土匪！」

階下人羣莫不驚愕萬分，紛紛交頭接耳，小聲議論起來。

「本部堂有鐵證在此。」曾國藩轉臉對荊七說，「將昨夜串子會送來的恐嚇信和短刀拿出來，讓這些好心的父老們見識見識。」

荊七將刀和信拿了出來。曾國藩將刀一揚：「這就是串子會昨夜送來，揚言要刺殺本部堂的短刀。」又拿起信說，「這就是他們的恐嚇信。大家不妨看看。」

信在人羣中傳閱。有的嘆息，有的點頭，有的搖首。大家都被這封信給鎮住了。

「各位父老鄉親，這些人從來就不是安分守己的良民，他們都是串子會的骨幹，借百姓對五穀豐米行的怨恨，乘機行此不法之事，妄圖擾亂人心，破壞社會，以便亂中起事，附逆長毛。這等會匪，不殺何以平民憤，何以靖社會？至於昨日不明眞相，貪圖小利的百姓，」曾國藩停下來，換成較爲和緩的語氣說，「煩各位父老轉告，請他們放寬心，本部堂一概不追究。大家回去吧！」

見階下人並無起身的樣子，曾國藩突然大聲說：「諸位到紅牌樓看熱鬧去吧，十三名會匪的頭顱已掛在那裏半天了！」

衆人驚惶不已，這才紛紛起身，向紅牌樓奔去。剛才說話的老者邊走邊搖頭，自言自語：「事情眞蹊蹺，怎麼都成串子會了，先前從沒聽說過呀！」

旁邊一個老婦人說：「阿彌陀佛，造孽呀，造孽，一下子砍掉十三個腦殼，這殺人就跟剃頭一樣。」

另一個老婆婆氣憤地說：「麼子曾大人，曾剃頭！」

老嫗無意間給曾國藩起了一個形象的綽號。從那天起，「曾剃頭」一詞，便在長沙城裏四處傳開。

過了幾天，五穀豐老板吳新剛買了幾丈黃綾，做了一把碩大的萬民傘，帶著米行十幾個伙計來到審案局，要面謁曾大人，謝謝他救了米行，並請他下令收繳那天被分出去的米。當王荊七將吳新剛的來意稟告曾國藩時，他氣得掃帚眉倒翌，三角眼冒火，惡狠狠地說：「這個奸商，本部堂暫不動他，他倒翹起了狗尾巴！本部堂要他什麼萬民傘？你去正告他，今後若不改惡從善，老實經商，再有不法情事出現，本部堂將查封米行，嚴懲不貸！」

吳新剛聽完王荊七疾言厲色的正告，嚇得萬民傘也顧不得拿，帶著伙計們抱頭鼠竄。曾國藩吩咐，就在門外將萬民傘燒掉。

又是殺頭，又是燒萬民傘，長沙市民都摸不透這位團練大臣——曾剃頭的心思。

三　寧願錯殺一百個秀才，也不放過一個衣冠敗類

審案局的委員們過了半個月的安靜日子後，忽然又報抓了一個勾結串子會謀反的人，此人還是個秀才。黃廷瓚知曾國藩最恨串子會，又見犯人是個有功名的人，怕作得主，請曾國藩親自審理。曾國藩說：「一個秀才有多大的功名，何況他身爲黌門中人，竟串通會匪，更是罪加一等。」他略微翻了翻黃廷瓚送來的案卷，吩咐升堂。待犯人押上來，曾國藩將特製的茶木條往案桌上重重一拍，厲聲喝道：「林明光，你這個衣冠敗類，快將如何與串子會匪首魏逵勾結的事，在本部堂面前如實招來！」

兩旁團丁扶著水火棍，凶神惡煞般地吆喝一聲：「招！」

案桌下那個長得白白淨淨，年約二十四、五歲的秀才嚇得叩頭不止，連忙說：「大人明鑒，這完全是一樁誣陷案。學生是聖人門徒，豈肯與會匪往來，玷污清白。」

「這是怎麼回事？」曾國藩一臉殺氣地問站在旁邊的善化縣平塘都團總郭家虎，林明光就是被郭家虎押到審案局來的。郭家虎忙上前一步，低頭說：「現有林明光的同里熊秉國爲證。」

「帶熊秉國！」

熊秉國被帶上堂來，也是個二十多歲、穿著大袖寬袍的讀書人。熊秉國靠著林明光的身邊跪下。曾國藩又將茶木條重重一拍，聲色峻厲地問：「熊秉國，林明光如何勾結會匪，你須實事求是講來，不可在本部堂面前有半句假話！」

「是。」熊秉國磕了一個頭，神氣十足地說：「這有串子會大龍頭魏逵的令牌爲證。」說著，從懷中抽出一支上紅下黑約一寸寬、六寸長的竹牌，站起來，雙手遞給曾國藩，自己又跪在原地。曾國藩看那令牌正面寫著「串子會大龍頭魏逵」一行字，背面畫著紅、藍、黑三個互相套著的圓圈圈，與半個月前收到的恐嚇信上的標記一模一樣。他心頭火起，暗罵道：「這串子會果然猖狂！」於是綳著臉問：「這塊牌子從哪裏得來的？」

熊秉國答：「今早林明光的書房裏搜得。」

曾國藩以懷疑的眼光審視熊秉國良久，猛然大聲問：「熊秉國，你如何知道林家有串子會的令牌？」

熊秉國被曾國藩如電目光、如雷吼聲嚇得兩腿發抖，全身冒出虛汗，好半天才戰戰兢兢地回答：「是本部顏癩子告訴我的。」

「顏癩子又是如何知道的？」曾國藩追問。

「大人」，熊秉國終於鎮靜下來，「顏癩子也一起來了，他可以當堂作證。」

團丁帶上顏癩子。曾國藩見此人三十餘歲年紀，一頭癩子，鼻勾腮尖，賊眉賊眼的，心中已先討厭。那顏癩子跪在熊秉國後面，不待審訊，就主動地說：「青天大老爺在上，小人是親眼看到林明光與串子會大龍頭魏逵勾勾搭搭的。前天夜裏，小人因賭輸急了，想到林家撈幾個錢。剛爬上林家屋樑，就看見書房裏燈火明亮，林明光與一個頭紮黑布、身穿夜行服的人在悄悄說話。只聽見那人說：『這一百兩銀子是魏龍頭的心意。魏龍頭說，當初若不是老太太的恩德，他也沒有今天。滴水之恩，尚且要湧泉相報，何況老太太的大恩大德。請你老千萬收下。』我心想，好哇！你林秀才表面裝得一本正經，看不起我顏癩子，原來背地裏却與串子會偷偷來往，看我不告發你！曾大人，聽說你老的告示上寫明，捉一個匪徒，賞銀五兩，有這事嗎？」

顏癩子抬起頭來，擠弄鼠眼望著曾國藩。見曾國藩鐵青著面孔，眼光凶惡，顏癩子魂都嚇掉了，趕緊低下頭。

曾國藩用力拍了一下茶木條，凜然喝道：「你還看見了什麼？」

「是，是。小人在樑上還看見他們推來推去。最後，那人又從懷裏掏出一塊牌子說：『這塊牌子是魏龍頭的令牌，他要我送給你老。魏龍頭講，只要這塊令牌在身，方圓百里之內，無人敢動你老一根毫毛。』林明光接過令牌。我心裏想，這不就是他勾結串子會的鐵證嗎？趁著林明光送那人出門的時候，我從樑上溜了下來。昨天一早，我到鎮上酒店裏喝酒，心裏高興，對老板說：『給我打二兩老白酒，一碟牛肉，記到帳上，過兩天就還錢！』我見老板還在猶豫，就高聲說：『你放心，你大爺要發財了，還能欠你這兒個錢！』不想熊二爺這時也在店裏喝酒。」

熊秉國點點頭說：「治下當時正在那裏……」

「不許多嘴！」茶木條重重地響了一下，熊秉國嚇得趕緊縮口。曾國藩冷冷地望了顏癩子一眼：「你繼續說下去！」

「是！」顏癩子繼續說，「我心裏想，熊二爺是個有臉面的人，憑我這副模樣，又沒有抓到林明光，這五兩銀子怕領不到，不如把它賣給熊二爺。打定了主意，我便附著熊二爺的耳邊說：『二爺，有個串子會的頭目，被我發現了，你老要抓嗎？』熊二爺一聽，忙說：『到我家裏詳說。』到了熊二爺的家，我把昨夜看到的都對他說了。熊二爺說：『你也不必到曾大人那裏去討賞，我給你五兩銀子就行了。你千萬不要再說出去。』今日早上，熊二爺帶著郭團總把林明光抓了起來。大人在上，小人說的句句是實。」

顏癩子說完，又在公堂上磕了幾得響頭。

「這是個痞子！」曾國藩心裏罵道，對顏癩子說，「你下去吧！」

待到顏癩子下堂去後，曾國藩問林明光：「剛才此人說的是實話嗎？」

林明光答：「大人，顏癩子所說的，有的是事實，有的不對。前夜的確有個人來我家，說是奉魏逵之令送銀子來，也的確拿出了一百兩紋銀，但我分文未收。」

「你跟魏逵是什麼關係？他爲何要送你這麼多銀子？」

「大人，」林明光答，「這魏逵與我家非親非故。五年前的一天，有一漢子突然暈倒在我家屋門邊。家母信佛，一向樂善好施。見此情景，叫人將他抬進屋，又喊太爺給他診治。原來此人得了烏痧症。太爺給他放痧，醒過來後，家母又留他住了一天。見他貧寒，臨走時，又打發一點舊衣和錢。那人自稱名叫魏逵，說今生今世不忘家母救命之恩，日後富貴了，要重重報答。從那以後，我們一家再也沒有見過魏逵，也不記得此事了。前幾個月，風言說串子會的大龍頭名叫魏逵，我們也沒有將兩個魏逵聯繫起來。前夜，來人自稱是串子會大龍頭魏逵派來的，又拿出一百兩銀子，說是謝家母恩德。我這才知道，原來串子會的大龍頭，就是當年倒在我家門口的那個人。大人，我是個清清白白的讀書人，家裏世世代代以耕讀爲業，從來是安分守法的，我怎麼願意跟造反謀亂的串子會拉扯上？我堅決不受銀子，那人見我一定不要，又從懷裏拿出魏逵的一塊令牌，說是可以護身，百里之內無人敢動我絲毫。我想目前世道這樣亂，危急之間，有這道護身符在身也好，便收下了。大人明鑒，學生一時糊塗，不該收下魏逵的令牌，但學生決不想與魏逵有往來，更不願參與他們謀亂的事。大人，學生再蠢，也是個秀才，懂得國法，豈敢做這殺頭滅門的事！」說罷，磕頭不止。

熊秉國說：「大人，林明光在當面扯謊，欺蒙大人。若不是想投匪，要什麼魏逵的令牌？世道雖亂，還有朝廷的綠營和大人統率的團練在，豈容得匪徒們無法無天！我們這些人都沒有魏逵的令牌，難道就不能保家護身？林明光說他未收銀子，誰人可以作證？銀子又無記號，誰分得出姓魏姓林？只有這令牌，他無可抵賴，才不得不承認。大人，林明光私通串子會鐵證如山，豈容狡辯！」

熊秉國這幾句話說得曾國藩心裏舒服，案子審到此時，才見他臉色略爲放鬆。曾國藩問林明光：「你還有何話說？」

林明光大叫道：「大人，熊秉國是個無賴，學生就是平日得罪了他父子的緣故，今日才蒙受這等恥辱。」

曾國藩頗感意外，怒目喝問：「你與熊家有何隙，仔細說來！」

「怪只怪學生平日不懂世故，恃才傲物。」林明光懊喪地說：「熊秉國是我的同里，其父熊固基是平塘鎮的大富翁，仗著家裏有錢，又有遠房親戚在外做官，一貫在鄉里橫行霸道。大人，你老別看熊秉國穿戴得斯斯文文，他實際上是個吃喝嫖賭的浪蕩公子。詩文不通，却又偏愛附庸風雅。學生心裏十分討厭，常常在鄉間奚落熊氏父子，於是與他家結下怨仇。今日，熊秉國便以公報私。至於顏癩子，他不過是平塘鎮上一隻癩皮狗而已，學生從來不把他當人看，故他也恨學生。」

「大人，」熊秉國在下面搶著說：「林明光剛才的話全是誣蔑。」

審到這裏，當過多年刑部侍郎的曾國藩心裏已有數了。他吩咐一聲「退堂」，便回到書房。曾國藩細細地思索案件審訊的全部過程，以及原告、被告的身分、說話、表情、神態，從當堂審訊來看，林明光所說的多爲實話，而熊秉國很可能是挾嫌報復。但林明光收下了串子會的令牌，他自己也供認不諱，難保他沒有二心。爲愼重起見，曾國藩叫審案局委員、安徽候補知縣曹克勤到平塘鎮去走一遭，實地了解一下。

過兩天，曹克勤回來說，林明光的確與串子會有往來。又遞給曾國藩一個小册子，說是從林明光書房裏抄出來的。曾國藩看那册子封面上題作《太平天國天王御制原道醒世訓》，隨便翻開一頁，只見上面寫著：「天下多男子，盡是兄弟之輩，天下多女子，盡是姊妹之羣，何得存此疆彼界之私，何可起爾吞我並之念。」他把書往地下一摔，罵道：「什麼烏七八糟的東西，可笑得很！難道父與子也是兄弟之輩？母與女也是姊妹之羣？看來這林明光眞是個不安分的傢伙。」

因爲林明光是個秀才，曾國藩這天夜裏獨自在簽押房裏爲此案思考了很久。說林明光勾通串子會，唯一的依據是魏逵的令牌。這本册子，也可能是從其書房裏搜出來的，也可能是熊家有意栽贓。即使眞的是從其書房裏抄出，也不能作爲勾通長毛的鐵證。林明光說的魏逵報恩之事，於情理上可以說得通。此案，若從輕，可將林明光杖責數十板，教訓一頓後放回家。若從重，就憑他收下串子會令牌，心懷二志，也可判個死刑。從輕呢？從重呢？他記得過去讀《明史》，讀《明季北略》，都講到自從牛金星、李岩兩個舉人投歸李自成後，李自成便設官分治，守土不流，氣象與從前迥然不同。結果居然推倒明王朝，祭天登位，當起了大順朝的皇帝。「讀書人附匪逆，則匪逆有可能成大事。」曾國藩深信前人的這個看法是對的。倘若輕易放了林明光，則給別的讀書人存一線僥倖之機。要從重！即使林明光不是眞的投靠串子會，也要借他的頭來教訓教訓其他不安本分的讀書人。爲了皇上江山的鞏固，爲了湖南全境的安寧，寧肯錯殺一百個秀才，也不能放走一個會匪中的衣冠敗類！況且串子會活動如此猖獗，看來他們是存心要跟團練過不去，何不以林明光爲釣餌，將魏逵等人引出來，也好一網打盡，爲湖南除一大害。

他想到學政劉昆必然會不同意他的作法，老頭子爲人倔强，一旦頂起牛來，會千方百計使事情辦不成，到時自己的全盤計劃就會落空。一旦決定了的事情，非辦不可；他最討厭有人出來干擾。乾脆不告訴劉昆！曾國藩拿起朱筆，在林明光的名字上重重地畫了一個勾。

第二天，林明光被關進站籠，在長沙城內四處遊街。站籠上插著一塊長木條，上面大書「勾通串子會造反之衣冠敗類林明光」一行字。旁邊跟著四個團丁，不停地敲打銅鑼，引得市民紛紛過來觀看。在站籠通過的主要街道上，羅山營、璞山營七百多號團丁一律便衣混在人羣中，每三、四十人後面跟著一輛板車，裏面藏著刀槍。林明光本是個受人敬重的秀才，何曾受過這種奇恥大辱。他憤極羞極，只遊了半天，便死在站籠裏，而魏逵的串子會並沒有出來，曾國藩頗爲掃興。

林明光之死，在長沙城及東南西北四鄉引起極大震動。一個秀才，以勾通會堂之罪，被處以站籠遊街，這是長沙城裏亙古未見的事，人們議論紛紛，有駡林明光是士林渣滓的，也有駡曾剃頭手段殘酷的，更多人則不相信林明光會勾通串子會。那些家中保存有太平軍、天地會、串子會、一股香會、半邊錢會等會堂告白文書的人，都連夜焚毀一盡。林明光的弟弟林明亮聯合善化縣的十個秀才，爲哥哥鳴寃叫屈。他們寫了兩份狀子，一份上遞巡撫衙門，一份上遞學政衙門。

五十多歲、鬢髮斑白的學台大人劉昆接到林明亮的狀子後，氣得鬍鬚都抖起來。他在衙門裏破口大罵：「這還得了！曾國藩眼裏還有我這個學政衙門嗎？漫說林明光不是勾通會堂，即使眞有其事，一個堂堂秀才，不通過我學政衙門，就這樣處以極刑。曾國藩置斯文於何地？眞是豈有此理！」

劉昆拿著狀子，坐轎來到巡撫衙門。駱秉章正爲林秀才一案犯愁。見劉學台來，便拉著他的手，說：「老先生，我們一道到審案局去吧！」

劉昆將手一甩，說：「我不願見他！這案子就委託給你了。」

說罷，氣沖沖地走出撫台衙門。

駱秉章無奈，只得親自來到審案局。接任一個多月來，曾國藩多次請動王旗殺人，有時甚至連這個形式都不要，隨便將犯人當場擊斃。上次殺打劫五穀豐米行的十三名犯人，連王旗都未請。後來，曾國藩親去說明情況，又見有串子會的恐嚇信，雖然也默認了，但身爲巡撫的駱秉章，心裏究竟不是滋味。這回殺一個秀才，居然連學政也不打個招呼，虧他還是翰林出身，任禮部侍郎多年。他眼裏是沒有湖南官員的位置啊！

「滌生兄，林明光的案子，許多人都有議論。」駱秉章決心借此案壓一壓曾國藩的威風，「林明光乃秀才，怎能囚以站籠，遊街示衆？且殺人過多，仁政何在！」

曾國藩將狀子略微瀏覽，便扔到一邊。心想：這段時期來，官場市井物議甚多，要堵住這些非難，首先要說服這位全省的最高長官，而且態度必須强硬，只能進，不能退，倘若退一步，則前功盡棄。曾國藩一本正經地對駱秉章說：「吁門兄，殺人多，非國藩生性嗜殺，這是迫不得已的事。追究起來，正是湖南吏治不嚴，養癰貽患，才造成今日的局面。」

駱秉章聽了這話，心中大爲不快。這個曾剃頭，非但不檢點自己的過錯，反而倒打一耙，要算我的帳了！他打斷曾國藩的話：「你可要講清楚，湖南吏治不嚴，究竟是誰的責任。」

曾國藩知駱秉章見怪了，爲了使談話氣氛和緩，他要穩住這個老頭：「駱中丞，我還沒說完，湖南吏治不嚴，責任當然不在你；你前後在湖南加起來不過兩年多。我是湖南人，豈不知三湘之亂，由來已久。道光二十三年，武岡搶米殺知州。二十四年，來陽抗糧。二十六年，寧遠會堂打縣城。二十七年，新寧又起棒棒會。二十九年，李沅發造反。這些，都不是發生在吁門兄你的任上。」

這段解釋，使駱秉章的火氣消了：曾國藩的矛頭原來並不是對準他的。

「滌生兄，不怕你怪罪，貴鄉竟是個爛攤子。當初調我來此，我三次推辭，無奈聖上溫旨勉勵，才不得不上任。」

「中丞說的是實話。」曾國藩懇切地說：「湖南爲何連年不得安寧，主要在地方文武膽怯手軟，但求保得自己任內無事，便相與掩飾彌縫，苟且偷安，積數十年應辦不辦之案，任其延宕，積數十年應殺不殺之人，任其橫行。如此，鄉間不法之徒氣焰甚囂塵上，以爲官府軟弱可欺，相率造謠生事，蠱惑人心，殺人越貨，無惡不作。倘若陸費泉、馮德馨等人忠於職守，早行鎮壓，湖南何來今日這等局面。」

駱秉章點頭稱是：「就因爲他們瀆職，而造成今日禍害，難得仁兄看得清楚。朝野有些人不明事理，還以爲我駱秉章無能。」

「正因爲湖南已爛到如此地步，故國藩愚見，不用重典以鋤強暴，則民無安寧之日，省無安寧之境。眼下四方騷亂，奸宄蜂起，還講什麼仁政不仁政呢？古人說：『唯有德者能寬服民，其次莫如猛。』有德者如諸葛孔明，尚以威猛治蜀，何況我輩？國藩唯願通省無不破之案，全境早得安寧，則我個人身得殘忍之名亦在所不惜。處今日之勢，辦今日之事。依國藩愚見，寧願錯殺，不可輕放。錯殺只結一人之仇，輕放則貽社會之患。」

「你說的這些誠然有理，」駱秉章說：「就憑串子會一塊令牌，處以站籠遊街，無論如何太重了。」

「林明光一案嘛，」曾國藩斂容說：「國藩認爲，匪患最可怕的不是游匪，游匪只一人或三、五人，縱作惡，爲害有限。可怕的是會堂，他們結伙成幫，組建死黨，對抗官府，爲害甚烈。大的如長毛，小的如串子會，就是明證。對會堂的處理，尤其要嚴厲。讀書人一旦參與其事，爲之出謀畫策，收攬人心，會使會堂如虎添翼，如火加油。其對江山社稷之危害，將不可估量。想吁門兄不會忘記牛金星、李岩附逆闖賊的教訓。我豈不知林明光之罪，不殺亦可。然刑一而正百，殺一而愼萬，歷來爲治國者不易之方。殺一林明光，則絕千百個讀書人投賊之路。即使過重，甚或冤屈，借他一人頭以安天下，亦可謂値得，不必爲林明光喊冤叫屈，以亂人心而壞剿匪大計。吁門兄，你說對嗎？」

見駱秉章不作聲，曾國藩換了一種誠懇的語氣說：「吁門兄爲皇上守這塊疆土，作千萬人之父母官，自然會知道，當以湖南山川和芸芸黔首爲第一位，而不會把幾個人的性命放在這之上。國藩乃在籍之士，奉朝命協助巡撫辦團練，以靖地方，所作所爲，無非是爲了桑梓父老，爲了你這位巡撫大人。吁門兄，國藩之殺人，別人指責尚可諒解，你怎麼也跟在別人後面指責我呢？」

這番話冠冕堂皇，義正辭嚴，說得駱秉章啞口無言，停了好一會，他才說：「滌生兄，你這番苦心，我可以理解，但別人就不一定能理解。比如林明光，他是通過府試錄取的秀才，劉學台掌管的人，你不和他打招呼，徵求他的同意，他能理解嗎？你就不怕他向朝廷告狀嗎？」

曾國藩淡淡一笑：「林明光之事，按理是應該先通知劉學台，由劉學台革掉他的秀才功名後再用刑。但老夫子辦事，吁門兄不是不知道，這個案子到了他手裏，起碼要拖半年，最終還是不了了之。昆老育材有方，國藩深爲欽佩。但恕我直言，這安境保民之事，昆老尚欠魄力謀略。況且這案子是一樁會匪大案，與通常秀才犯法不同。當此非常時期，可從權處理。應該說，我殺的不是秀才，而是一個會匪，一個士林敗類。昆老硬要向朝廷告狀，就讓他告去吧，我也無法阻攔。朝廷若怪罪下來，一切責任由我承擔，與中丞無關。」

駱秉章本是大興問罪之師而來，結果竟被曾國藩充足的理由和强硬的態度弄得無言以對，只得訕訕告辭。

曾國藩想到湖南官場、民間對自己這幾個月來嚴辦匪亂指責如此之多，且其中也免不了有枉殺的人在內，若不先向皇上申明，求得皇上支持，日後有可能成爲被人彈劾的口實。他思索幾天，給皇上上了一道《嚴辦土匪以靖地方折》。不久，奏折奉朱批遞回來：「辦理土匪，必須從嚴，務期根株淨盡。欽此。」曾國藩將這道朱批遍示湖南各文武衙門。從此，官場上的公開指責便銷聲匿迹了。

半個月後的一天，康福從平塘鎮辦公事回來，悄悄告訴曾國藩：林明光一案冤情重得很，百姓反應很大。曹克勤受了熊家父子的賄賂，長毛小册子是熊家栽的贓。熊家借此事將林明光置於死地，是爲了報積怨私仇。曾國藩聽後，對林明光的冤情並不太感意外，但對曹克勤受賄却很憤慨，他生平最恨受賄的官吏。曾國藩交給康福一件任務，要他和彭毓橋、蔣益澧三人秘密查訪委員中的受賄情況和冒功領賞的團丁。

不久，曾國藩借「嚴辦土匪」的聖旨，將審案局中的委員作了大幅度的裁汰，從自己舊日友朋和岳麓、城南兩書院中，挑選一批廉潔有操守的鄉紳和士子來遞補。又將凡有冒功領賞行爲的團丁一律開缺回籍，從荷葉塘募來一批老實的農夫代替。從那以後，他自己對判決之事，態度也審愼些了。

一日，瀏陽縣團練所專程派人來到審案局，說周國虞的徵義堂又死灰復燃了，在城外山林裏活動猖獗，縣團對付不了，請省團派人前去鎮壓。巡撫衙門也接到瀏陽縣令的告急文書，駱秉章請曾國藩辦理。

曾國藩吸取林明光一案的教訓，對下邊報來的匪情不敢輕易相信。他帶著李續賓、曾國葆、康福、彭毓橋，喬裝成普通老百姓，親自到瀏陽去，對周國虞和徵義堂作一番秘密查訪。

四　鮑超賣妻

原來，這周國虞乃瀏陽寶塔山下一方大戶，其先祖是南明弘光朝大學士、兵部尚書史可法的貼身侍衞周天賜。明亡後，周天賜隱居湖南瀏陽，以反淸復明爲職志。由於淸朝統治嚴密，周天賜的宏願不得實現，但後代子孫恪遵祖訓，代代不忘反淸復明大業。周國虞及其弟國材、國賢從小讀書習武，廣交四方友朋，圖謀大事。一次偶然機會，周國虞結識了天地會首領羅大綱，羅大綱帶著周氏兄弟拜見了天地會大頭領洪大全。於是周氏兄弟參加了天地會，並在瀏陽縣辦起了徵義堂，明裏布仁施義，廣結良緣，背地裏發展會衆，鼓吹反淸復明，會衆很快發展到數千人，聲勢浩大。後來江忠源帶領楚勇前去鎮壓，周國虞和徵義堂的兄弟們退到城外野人山。羅大綱投奔太平軍後，幾次派人相邀，周國虞因與太平軍的目標不一致，不願參加。前幾天，他們下山想殺掉橫行霸道、强娶人妻的瀏陽縣團練副總張義山，結果沒抓到張，便一把火燒了縣團練所，縣令饒豐平嚇得惶惶不安，遂火急上報省城。

了解這些情況後，曾國藩制定了一個巧取野人山的計謀。通過旅店老板買通徵義堂一個小頭目，小頭目帶著李續賓、曾國葆、康福進入了人跡罕至的野人山。李續賓等人化裝成湘鄉縣三合會的頭目，以携帶十萬兩銀子前來合夥的謊言，騙取了周國虞的信任。這時，王鑫奉命帶著八百團勇從長沙趕到瀏陽。王鑫、李續賓率領勇丁並挾持張義山打進野人山。在徵義堂兄弟們的面前，王鑫宣示張義山魚肉百姓的罪惡，並當場將這個團練副總一刀殺了，鼓動徵義堂的人放下武器，下山作良民。曾國藩這套軟硬兼施的作法取得了效果，徵義堂被打垮了，周國虞兄弟不得不帶著一批骨幹撤離野人山。

這是省城大團成立以來幹得最得意的一樁大事，王鑫、李續賓等人滿心想得到省裏各衙門的表揚，却不料長沙的反應甚爲冷淡。曾國藩心裏雖不高興，但並不跟駱秉章談起這事，就連左宗棠面前也不提及，仍舊每日辦理匪盜案件，並將精力轉到操練勇丁上。

曾國藩痛感教官缺乏。王鑫、康福、李續賓、彭毓橘等人雖武藝超羣，但都任務繁重，不能以全副精力教練團丁。曾國藩隨時注意從團丁中識拔人才，發現有武藝較好、人又實在的團丁，便加獎掖，並提拔起來充當什長、哨長。每天夜晚，則重溫歷代兵書，尤其對戚繼光的《紀效新書》、《練兵實紀》細細加以揣摹，許多地方，都照戚繼光所說的辦。大團訓練日有起色。

一天下午略有點空閑，曾國藩正和康福饒有興致地對奕，荊七進來說：「大人，去年在岳陽樓上見面的那個楊載福來了。」

「快請他進來！」曾國藩喜出望外，一邊叫康福收棋，一邊已邁步向門外走去。

楊載福一進門來，便跪下磕頭行大禮：

「曾大人，小人有眼不識泰山。上次岳陽樓上多多冒犯，請大人海涵。」

曾國藩親手扶起楊載福，樂呵呵地說：「什麼冒犯，說哪裏話來！我能在洞庭湖畔結識足下，實爲有幸。這一年來，足下可好？」

曾國藩上下打量著楊載福，見他身穿一套綠營軍官衣服，便又問：「足下在哪個營做事，我怎麼一直沒見過你？」

楊載福恭恭敬敬地回答：「去年蒙大人給我指明出路，第二天，我便將排上事安排好，帶著大人寫的荐書，到長沙投奔駱撫台。駱撫台問我：『曾大人是你什麼人？』我說：『曾大人與我非親非故，得荐書之前，我根本不認識他。』駱撫台問我荐書怎麼來的，我把當時的情況說了一下。駱撫台說：『你這個毛頭小子，你知道曾大人是什麼人嗎？』我搖搖頭。駱撫台說：『曾大人是當今禮部侍郎，因回家奔喪，讓你給有幸碰上了。』我當時大吃一驚，想起大人的確說過回家奔母喪的話。駱撫台把我留在撫標右營。見我武藝尚可，今年初，提拔我當了個外委把總，派我到辰州協訓練新兵。前幾天才回長沙來交差。昨日在街上見到大人出的告示，方知大人在省裏辦團練。今天特地請了假，來拜謁大人。」

曾國藩見楊載福不負推荐，很是高興，說：「足下這一年來長進很大，又有了訓練新兵的經驗，我想請足下到大團來訓練勇丁，足下肯嗎？」

楊載福說：「大人是我的恩人，莫說叫我來大團當教官，就是叫我立即入狠窩虎穴，敢不從命！」

曾國藩甚喜，當即給駱秉章寫封親筆信，請他放楊載福來大團聽命。駱秉章自然准許。次日，楊載福即到曾國藩衙門報到。吃過早飯，曾國藩帶楊載福到南門外操場，分到羅澤南一營當個哨官，並兼管全營教習。下午，曾國藩徒步從南門口操場回魚塘口，途經鹽道街口時，見提刑按察使司的幾個差役鎖拿一個漢子往前走。忽然，從後面跌跌撞撞地跑來一個婦人。那婦人抱住漢子的大腿，哭喊著：「春霆，我跟你一起去吧！」婦人哭聲極爲悲哀，引得路人全都停下來觀看。又見後面跑來兩三個漢子，扯著婦人的手往回拖，婦人死命不肯。那漢子滿臉是淚，說道：「菊英，你多保重，過幾年我再來接你。」差役們吆喝著，趕著漢子走。

曾國藩定睛看那漢子，年約二十六、七歲，身材高大，足比常人高出一個頭，膀闊腰圓，面孔雖黧黑消瘦，但兩眼却大而有神，滿臉絡腮鬍子又黑又密。曾國藩心想：好一條漢子，不知犯了何事？提刑按察使司的差役見是曾國藩，忙點頭哈腰問好：「曾大人，你老回府去？」

那漢子聽差役叫「曾大人」，連忙喊：「你老就是曾大人？我鮑超今日落難受辱，請你老救我。」

曾國藩感覺意外，問：「要我救你？」

「曾大人，你老不是在奉旨操練團練嗎？鮑超願投效你老帳下。我現在好比當年落難的薛仁貴，日後，我會輔助你老徵東掃北。」

曾國藩想：此人口氣倒不小，現在正是用人之際，不妨將此人帶到審案局詳細問問。他對差役說：「把他押到審案局去，我要審問審問。」

差役面有難色，說：「陶大人要小的們這就押去，若送到審案局，陶大人怪罪下來，小的們吃不了。」

「不要緊，我這就打發人告訴陶大人，審問後即給他送去。」

鮑超又說：「曾大人，這婦人是小人的女人，請你老發點慈悲心，讓她再在旅店住幾天，待小人與她見一面後，再由馬家帶去。」

曾國藩叫王荊七把那女人送到旅店後，再到臬台衙門去告訴陶恩培，並要那幾兒個漢子先回去，過幾天再說。差役無奈，只好跟著到了審案局。

曾國藩坐在大堂太師椅上，鮑超跪在堂下。他屏退差役後，對鮑超說：「你因何事被鎖拿，要從實告訴我。」

鮑超磕了一個頭，答道：「是。」然後慢慢地將原委說了出來。

原來，鮑超字春霆，是四川奉節人，自小父母雙亡，幫人拾糞放牛糊口。十五歲時，曾經人介紹到峨嵋山清虛觀，爲觀裏道人打柴擔水，混一口齋飯吃。鮑超有力氣，做事又勤快，雖性情暴烈，但爲人爽直，很得觀主清安道長的喜愛。清安道長空閑時教他一些武藝。鮑超不識字，却悟性好。各種武藝，一經點撥，便熟記在心，又肯下功夫苦練。三、四年過後，鮑超便成爲清虛觀裏第一號高手。清安道長有心想把他留在觀裏，但鮑超却過不慣峨嵋山上的冷清生活，他要憑借這身武藝去幹一番轟轟烈烈的大事，掙個榮華富貴、光宗耀祖的前程。清安道長得知他的志向後，深爲惋惜，悔不該當初看錯了人。二十歲那年，鮑超爲一件小事與觀裏另一道人口角起來，他揮起鐵拳把那道人打得口吐鮮血，暈死過去。淸安道長大怒，把他捆綁起來，打了五十水火棍。鮑超豈咽得下這口氣，第二天一早，便捲起包袱下山了。走到半山腰，想起師傅五年來的敎誨之恩，自思這樣不辭而別，未免對師傅不起，便又轉身上山，向淸安道長告辭。道長並不挽留他，只叮囑：「日後不管立下多大功勞，不管有多高官爵，都不要再對人提起淸虛觀這幾年的事，更不要提爲師的姓名。」

鮑超下山，來到成都投了軍。幾年過去，東打西跑，辛苦不已，却沒有撈到個一官半職。鮑超灰心了。

恰好，那年廣西洪楊事發，朝廷要調兵到廣西前線。鮑超看定是立功的機會來了，主動請纓，來到廣西。一來便被向榮看中，選爲親兵。眼看鮑超要發迹了。誰知時運不佳，永安一戰，鮑超身負重傷。向榮給他幾兩銀子，留他在廣西一個老百姓家養傷。不久，向榮帶兵尾追太平軍離開廣西到湖南去了。

鮑超住的這家姓韋。韋家的姑娘菊英，盡心盡意地招扶鮑超。菊英愛鮑超一表堂堂，鮑超愛菊英秀氣水靈，心眼又好。兩人便你歡我愛，偸偸地攪在一起了。菊英父母也覺得鮑超有股男子漢氣概，便同意女兒的選擇，爲小兩口擧辦了婚禮。幾個月後，鮑超傷好了，他和菊英商量，要到湖南去找向提督。菊英捨不得跟他分開，便和他一同來到湖南。到長沙後，方知向提督早已到江寧去了。鮑超夫婦好不氣餒。盤纏眼看就要用光，伙鋪老板又天天催房租，鮑超氣得在一家酒店裏喝了兩斤白乾，醉得昏昏的，突然冒出一個主意來。他在酒店裏大嚷：「誰要老婆，二百兩銀子，我把老婆賣給他。」大家都覺得好笑，便慫恿酒店馬老板去買。馬老板四十多歲，去年剛死老婆，正要續弦，看鮑超不過二十幾歲，料想老婆一定年輕。便問：「漢子，眞的賣老婆？」

「眞的。」鮑超佈滿血絲的雙眼也斜著酒店老板。

「不反悔？」

「男子漢大丈夫，說話算數。」

「嗯。」馬老板心想，連老婆都要賣的人，還有臉說男子漢大丈夫。他用鄙夷的眼神對鮑超說：「漢子，去看看你的老婆長得如何，痲臉瞎眼的我可不要。」

當場便有幾個好事之徒，興高采烈地跟著去看熱鬧。馬老板見菊英年輕漂亮，大喜過望，當下拉出鮑超，說：「漢子，就這樣定了。明天一手交錢，一手交婆娘，諸位幫忙作個證，可不許反悔呀！」

立即便有人寫來一張字據，鮑超印了手模。

這天晚上，鮑超酒醒了，對白天賣老婆的荒唐之事後悔不迭。但木已成舟，他只得告訴菊英。菊英一聽，頓時昏厥過去，老半天才醒過來，對鮑超的絕情滅義恨得要死。鮑超安慰妻子說實在是萬不得已，與其兩人都死在此地，不如換得銀子到江寧去，找到向提督，一兩年後立了軍功當了官，一定回長沙再來贖回。夫妻倆抱頭痛哭一夜。第二天，馬老板拿著二百兩銀子來，要把菊英帶走。老婆是自己賣的，一時反悔不成。但他畢竟是個血性男兒，見眞來抬老婆了，又惱羞成怒，一股無名火起，將馬老板痛打了一頓。馬老板無辜挨打，如何氣得過，便到臬台衙門告了鮑超一狀。又有手模契約，又有十多個人證，臬台陶恩培下令提拿鮑超，並將韋菊英判給馬老板。

曾國藩細細聽了鮑超這段敍述。心想：這個莽夫人品的確不太好，日後保不定忘恩負義，賣友求榮。轉過來又想：鮑超也可憐，空有一身本事，却命運不濟，英雄短路，也難怪他做出這等沒良心的事來，吳起不也有過殺妻求將的事嗎？現在正要幾個有眞本領的人來教習團丁，且不去管他的人品，先看看他的本事究竟如何。

曾國藩喚來差役，打開鮑超手上的鎖鏈，又賞他一頓酒飯，要他當面表演幾套拳術刀槍。

鮑超甚喜。他恨不得在曾大人面前把全身解數都使出來。當時來到射圃，脫了衣服，先表演了一套長拳。這套拳打得眞好！將少林拳和峨嵋拳融爲一路，幾聲輕嘯之後，但聽得風聲霍霍人影流竄。猛然間一聲怒吼，只見他一拳衝出，「嘩喇」一聲，三層牛皮綳成的箭靶被打出一個窟窿。曾國藩脫口稱讚：「好神力！」

一路拳打下來，鮑超心不跳，臉不紅。曾國藩自己並不會武功，但見多識廣，一看就知道他身手不凡，心想大團一千多號勇丁，只怕少有能超過他的。一邊想著，一邊站起來拍著他的肩膀，說：

「你有這等本事，何愁沒有用武之地！大丈夫要的是封妻蔭子，怎能做出賣老婆的蠢事來。你也不必到江寧去找向提督了，本部堂派你當個哨官，也管百十來號人，你願意嗎？」

鮑超受寵若驚，趕快跪下磕頭，激動地說：「謝大人！大人好比鮑超的再生父母。今生今世，鮑超跟定大人，爲大人效犬馬之勞。」

曾國藩扶起鮑超，說：「今後要將本事全部教給勇丁，莫要保留。從我這裏拿五十兩銀子回去。給二十兩與酒店老板，當養傷之費。給人賠個不是，把字據取回。另三十兩給你的老婆，把家安頓好。後天就到我這裏來上任。陶大人那裏，我叫人去了結。」

鮑超喜從天降，千恩萬謝，回旅店去了。這裏曾國藩修書一封，說明鮑超是個人才，要留下他教習團丁，不必再追究云云，交給差役回去覆命。

五　拿長沙協副將清德開刀

「駱中丞，這曾國藩做事，也未免太過分了吧！」不久前才從衡永郴桂道任上提拔起來的陶恩培，拿著曾國藩寫給他的信，來到駱秉章的簽押房。

「什麼事？」駱秉章問。

「一個兵痞子，自願賣老婆，與人講好了，還蓋了手模。第二天翻臉不認帳，還打得人家半死。狀子告到我這裏，情況屬實，我把兵痞鎖拿到衙門來審問。半路之中，曾國藩把他截走了，說是一個人才，他要留用。駱中丞，你看這辦事還有個規矩嗎？殺了那麼多人，還弄些個什麼站籠，慘無人道。殺人搶人，自行其是，全沒把我們這些人放在眼裏。這樣下去，湖南一省，只要他曾國藩就行了。」陶恩培越說越有氣。

「這曾國藩也是跋扈了些。」駱秉章同情陶恩培，「那十個站籠，倒是經我勸說，又拿出幾份狀子給他看，總算拆了。可是專斷自決，則一點未改。上月到瀏陽剿徵義堂，又擅自殺了縣團練副總張義山。張義山的副總是我批的，招呼都不打一聲就殺了。對不起，回來後我雖不講他，也給他碰了個冷釘子，平徵義堂的事，一句不提。」

「那還得提，再提，尾巴都會翹到天上去了。」陶恩培把身子往駱秉章跟前湊了湊，說：「中丞，聽說鮑提督也討厭這個姓曾的。」

正說著，左宗棠進來，把剛起草的《湖南境內匪患次第肅清》的奏稿送給駱秉章過目。

「中丞，肅清湖南境內土匪，主要靠的是曾滌生的團練，尤其是這次剿平徵義堂，厥功甚偉。徵義堂鬧了好幾年，瀏陽縣對之束手無策，上次江岷樵也只是把他們趕到山中，全賴曾滌生徹底撲滅。但奏稿對此只一筆帶過，曾國藩的名字都未提及。我雖然按中丞的意思寫了，但終究有點爲滌生抱屈。」

「怎麼是徹底撲滅？周國虞三兄弟一個都沒逮住，難保不死灰復燃。」陶恩培不買曾國藩的賬，更看不起連個進士都沒中的左宗棠。

左宗棠瞟了陶恩培一眼，權當沒有聽見他的話，繼續對駱秉章說：「添不添，由中丞決定，但有功不賞已不當，現在連在皇上面前一句好話都捨不得說，只怕將來難以服人心。」

說完，抬脚就走。駱秉章連忙叫住：「季高，你看著添幾句吧！」把奏稿又塞給了左宗棠。待左宗棠走後，駱秉章對陶恩培說：「曾國藩雖然專斷了些，但他勇於任事，也難能可貴。皇上信任他，你就睜一只眼閉一只眼吧！」

陶恩培說：「我倒無所謂，只是中丞你處於這種地位難以應付。論年齡，論資歷，論現在的官位，哪樣不在他曾國藩之上？團練就只能做團練的事，不能事事都插手。安徽的呂賢基、江蘇的季芝昌，哪個不是在巡撫的管轄下辦事？團練大臣幾十個，沒有哪個像他曾國藩這樣！」

駱秉章沒有作聲。從他心裏說，對曾國藩快刀斬亂麻、敢於任事、不避嫌疑的作風，並不反感。他是個老官僚，對官場那種推諉、敷衍、不負責任、辦事拖拉的習氣看得多了，深知國事就壞在風氣上。難得曾國藩這幾個月來雷厲風行，湖南境內的動亂已漸次肅清，功勞是大的。但曾國藩也太不顧各衙門的面子了，開口閉口總說湖南官員暮氣深重，要起用一班書生來代替他們，氣勢咄咄逼人。辦事從不與他們商量，許多超過自己職權範圍的事，也擅自處理。長此以往，弄得各衙門都不痛快，叫他這個巡撫如何當！停了一會，駱秉章問：「你剛才說鮑提督討厭他，是什麼事？」

陶恩培說：「聽說曾國藩要撤換清德副將，提拔塔齊布。清德到鮑提督那裏訴苦。鮑提督大爲惱火，這不是淸除異己，培植親信嗎？塔齊布還只是早幾個月前才授與都司銜，現在實際上不過是一個署理撫標中營守備，比起淸德來，還差得遠呀！」

「呵，呵。」駱秉章漫應著，一連打了兩個哈欠。他今年六十歲了。常常感到精力不支，陶恩培見狀，便起身告辭了。

兩個月前，當曾國藩把大團三營勇丁整頓好後，便與提督鮑起豹商量，這三營團丁和駐長沙的綠營兵平時分開操練，五日一會操，由他親自來檢閱。太平軍撤離長沙後，外省奉調來的兵勇已全部回防，本省一部分士兵隨張亮基去了湖北，長沙還有三千本省兵，鮑起豹把他們全部留在長沙，合長沙協左營五百兵（右營五百兵駐湘潭）在內，還有三千五百人，一旦有事，以資防守。鮑起豹同意曾國藩的建議。軍隊吃皇糧，戰時打仗，平日操練，這是天經地義的，只是自己懶得吃那個苦，不想到操場去督促。現在曾國藩自願領這分苦差，何樂而不爲呢？

在操練過程中，曾國藩發現綠營中幾個尖子。一個是署撫標中營守備塔齊布。他帶的營每次會操都按時到齊，自己短衣緊褲，脚穿草鞋，爲兵士作示範。曾國藩見塔齊布是上三旗中的人，對他格外親切。爲了今後辦事方便，曾國藩要把這個滿人推上來。因此特別把他去年守城時的功勞提出，向朝廷保奏他爲游擊將軍。另一個是提標二營的千總諸殿元。他是武舉出身，技藝精熟，訓練士兵有方。還有一個把總周鳳山，是鎮筸兵中的小頭目。此人不僅武藝好，且熟悉兵法，在鎮筸兵中很有威信。大團中的三營，帶隊的幾乎都是書生，雖然熱情很高，有的武藝也很不錯，但畢竟缺乏行伍經驗。近來雖有楊載福、鮑超作教師，兩個人究竟不夠，於是曾國藩將塔齊布、諸殿元、周鳳山請來當大團勇丁的教師，給他們雙份餉。大團勇丁的武藝在一天天進步，綠營的訓練也有起色。但不久，麻煩事來了。

原來，那些綠營兵，平素懶散慣了，一個月難得有一兩次操練。就這一兩次，去的人也不多，用幾個錢雇個人代替，本人則睡覺、上館子、下妓院。操練也有名無實，集個合，點個名，走走步伐，各自拿刀槍揮舞幾下，就算完了。三伏天、三九天照例是不操練的。但曾國藩練兵，作風却大大不同。

大團一天的操練總在四個時辰以上，事事講認眞，一絲也不許馬虎。他自己一天到操場去幾次，嚴格督促。這樣一來，綠營兵也只能陪在那裏。到了逢三、逢八會操這一天，天還沒亮，就得集合上操場。那些綠營兵油子擦著惺忪的眼睛，胡亂穿上號褂，昏昏沉沉地跟著走，個個嘀嘀咕咕。曾國藩整天一刻也不離開練兵場。將士們無奈，只得一遍又一遍地練習。一天下來，渾身骨架都散了。不僅如此，他還要訓話，喋喋不休地聒噪個把時辰，講軍紀、講作風，講吃苦耐勞，講盡忠報國等等，講得那些綠營兵煩膩極了，個個昏昏欲睡。一回到營裏，便罵開了：

「這個曾剃頭，早點死了好！」

「曾國藩不過是個團練大臣罷了，他有什麼資格管我們！」

「跟那些作田佬一起操練，臉都丟盡了。」

一個湘鄉籍的兵告訴大家一個秘密：「你們知道嗎？曾國藩是個蛇皮癩，他每天都癢不可擋，死命地抓，抓下的癬皮有一飯碗，血流不止。」

「活該！這是天報應。」

「讓他一天癢到晚上，上不了操場就好。」

士兵們在一陣笑罵中放出滿肚皮怨氣。

個把月後，除塔齊布的撫標中營外，其他營的士兵常常缺席。最近一段時期，上操場的綠營兵越來越少，撫標中營也受到影響。曾國藩對此很惱火。尤使他難堪的是，長沙協副將清德，幾個月來，凡會操一概不參加，派人請也請不動。這兩次會操，長沙協缺席的又特別多。經打聽，原來是清德對曾國藩重用塔齊布很嫉妒。塔齊布還是火器營的護軍時，清德便已是副將了。曾國藩一來，便保奏塔齊布為游擊，最近又保奏為參將，眼看就要與他平起平坐了。清德如何能服氣！他認為這是曾國藩明顯地在討好滿人，想用滿人來取代他。因此，清德不但自己不會操，而且對不會操的長沙協士兵也暗中支持。對於清德明目張膽的對抗，曾國藩十分惱怒。他聽說太平軍圍攻長沙時，有一次清德竟摘去頂戴，躲到老百姓家裏去了。查實以後，便決定拿清德開刀。

機會來了。六月初八日，是清德最寵愛的四姨太二十五歲壽辰。早在五天前，清德就大發請柬，準備為四姨太熱鬧一天。而這天，又恰恰是逢八的會操期。

初七日上午，曾國藩以團練大臣的身分出了一個告示，曉喻全體綠營和團丁，明早在南門外大操場會操，要對半年來的操練作一番全面大檢查，不管是誰，不管任何原因，一律不得請假。

當晚，長沙協中被清德安排為酒席服務的兵士，公推幾個代表到副將衙門，把曾國藩的告示給清德看。清德看完，把告示揉成一團丟到脚下，冷冷一笑：「不要理他，他神氣得幾天？長毛一平，他就得滾蛋。」

「大人，是不是讓他點了名以後再來？」一個外委把總試探地問。

清德眼睛一瞪：「你們的餉是誰關的？長沙協歸誰管？曾國藩的一張告示，你們就這樣怕得要死，眼裏還有沒有我這個副將！明天，操練喜事的人一個不能少。另外，有事有病的兄弟都可以不去。你們就說是我清德講的，看他曾國藩能奈何我個屁！」

第二天一早，曾國藩就穿戴利索，騎馬上南門外練兵場。

這是一個酷熱的日子。太陽火辣辣地炙烤著大地，一絲風都沒有，整個長沙城就像一口燒紅了的大鍋。而南門外練兵場，無一株樹，無一堵牆，灰塵掛面，沙石燙腳，更如同這口大鍋的鍋底正中，無情地折磨穿著號褂舞刀弄棒的兵丁們。

點名時，曾國藩知道長沙協缺了不少人，但他沒有發作。到了已正時分，曾國藩特意來到長沙協操練地。本來應到五百人的長沙協左營，現在不到三百人了。曾國藩頓時火起，下令全場停止操練，聲色俱厲地問長沙協帶隊的都司人都到哪裏去了。都司嚇得結結巴巴地稟告：有五十多號人在清德將軍家辦喜事，有七十多號人因病請假，有八十多號人半途溜走了。

曾國藩聽後，對全場兵丁大聲說：「各位兄弟們，你們看看，究竟是國事重要，還是私事重要。自己不來會操，還要弟兄們爲他辦私事。國家出錢招兵，是爲他個人招的嗎？大家都還只二、三十來歲，正是年輕力壯的時候，長沙協就有那麼多的人吃不了苦，不來的不來，溜走的溜走，這還像個軍隊嗎？眼前這點苦都不能吃，日後兩軍搏鬥，生死存亡之際，豈不當逃兵嗎？本部堂四十多歲了，還和大家一起操練，所爲何來？爲的是練出一支能打仗的軍隊，爲的是保湖南全境不被長毛占領。今天天氣是熱了點，這樣的天練兵確是一樁苦事，但比起流血殺頭，這個苦就小多了。各位兄弟要體諒本部堂的苦心。常言說，夏練三伏，冬練三九。再冷再熱，都不能不練兵。今天缺席的，每人記大過一次。」

曾國藩講完後，要李續賓帶一營湘勇到城裏各處去尋找長沙協的兵，記下他們的名字。這天晚上，李續賓滙報：長沙協昨天有五十八人爲清德辦酒席服務，有四十六人在營房裏乘涼、賭牌、聊天，有三十三人在酒店裏喝酒，有十二人在妓院裏胡鬧，還有五十一人在城裏逛街，眞正生病臥床的只有六人。

曾國藩把這些情況寫了一封長信，連夜打發人送到武昌張亮基處。按制度，各省綠營受總督管制，巡撫除兼有提督銜外，不得干預兵事。湖南綠營由署湖廣總督張亮基管轄。張亮基對湖南綠營的腐敗本極爲不滿，曾國藩又是他一再請出來的，看了曾國藩的信後，也很氣憤。立即覆信，交來人帶回，請曾國藩按軍紀國法處置。

於是曾國藩給朝廷上了一本，親筆寫道：

奏爲特參庸劣武員，請旨革職，以肅軍紀而儆疲玩事。竊維軍興以來，官兵之退怯遷延，望風而潰，勝不相讓，敗不相救，種種惡習，久在聖明洞察之中。推其原故，在平日毫無訓練，技藝生疏，心虛膽怯所致。臣懲前毖後，今年以來，諄飭各營將弁認眞操練，三、八則臣親往校閱。惟長沙協副將清德，性耽安逸，不遵訓飭。操演之期，該將從不一至，在署偷閑，養習花木。六月初八日爲其小妾過生，竟令五十餘士兵爲其辦酒服役，並公開支持怕苦不願上操之兵。該副將對營務武備，茫然不知，形同木偶。現當軍務吃緊之際，該將疲玩如此，何以督率士卒？相應請旨將長沙協副將清德革職，以勵將士而振軍威。

寫畢，尚不解恨，又附一片：

再，長沙協副將清德性耽安逸，不理營務。去年九月十八日見賊開挖長沙地道，轟陷南城，人心驚惶之時，該將自行摘去頂戴，藏匿民房。所帶兵丁脫去號褂，抛棄滿街，至今傳爲笑柄。請旨將清德革職解交刑部從重治罪，庶幾懲一儆百，稍肅軍威而作士氣。臣痛恨文臣取巧、武臣退縮，釀成今日之大變，是以爲此激切之請。若臣稍懷私見，求皇上嚴密查出，治臣欺惘之罪。

撤掉清德，換誰來當長沙協副將呢？論才能，楊載福最合適。但他僅只一外委把總，小小的九品頂戴，與從二品的副將相差太遠了。諸殿元也可勝任，但也只是個從六品的千總，驟升副將，也嫌太快。從官階來看，塔齊布是參將，從三品，最高，從才具方面來說，固然不及楊、諸，但塔齊布老實恭順，此外尚有楊、諸天生不及之處，那便是塔齊布爲鑲黃旗人。曾國藩深知皇上對漢人猜忌甚多，今後要建曾家軍，從皇上到朝野滿人都會不放心。倘若有人參一本，隨便加一個圖謀不軌的罪名，立刻就可滿門抄斬。必須推個滿人出來！名義上還要把這個滿人擺在自己之上，才可能消除皇上及朝野滿人的顧慮。若是推個才大心大的出來，今後駕馭不了，那就更麻煩。塔齊布雖無大才，但聽話，又是自己一手提拔上來的，想必日後不會有意爲難。主意定了，曾國藩又補一片：

查署撫標中軍參將塔齊布，忠勇奮發，習勞耐苦，深得兵心。臣今在省操練，常倚該參將整頓營務。現將塔齊布履歷開單進呈，伏乞皇上天恩，破格超擢。

爲使皇上採納他的建議，並表示自己對滿人的絕對信賴，他在片後著重補了一句：「如塔齊布日後有臨陣退縮之事，即將微臣一併治罪。」

曾國藩參劾清德和保奏塔齊布的事很快傳到清德的耳中，他又急又恨，跑到鮑起豹那裏。先不提參劾自己的事，而把營兵對曾國藩酷暑操練的怨氣，添油加醋地渲染了一遍。他有意挑撥說：「鮑提督，兄弟們都在說，我們到底是受提督指揮，還是受團練大臣指揮？兄弟們跟曾國藩講，鮑提督愛兵如子，三伏、三九天都不在營外操練。只在營內講兵法。曾國藩不但不聽，反而說你老治軍不嚴，姑息放縱，養了一批老爺兵。」

鮑起豹本是一個驕悍昏庸的武夫，一向看不起文官，聽了清德的話，勃然大怒：「曾國藩是個舞弄筆墨的文吏，他懂什麼帶兵練兵！朝廷盡用一批文官當團練大臣，眞是笑話！曾國藩竟敢譏笑我治軍不嚴，他懂不懂，哪有酷暑練兵的道理？六月天牛尚不用，何況人？這哪裏是練兵，這分明是虐待士卒。」

清德見鮑起豹支持他，暗自得意，於是提起參劾的事：「六月初八日是賤妾的生日，又正是會操的日子，卑職想天這般熱，有心讓士兵們休息一天，在家躲躲熱。曾國藩居然叫他的團丁到我這裏清點人數，幾個人上街，幾個人在營，幾個人幫我辦酒席。上了一本給朝廷，要撤我的職，讓塔齊布來當長沙協的副將。」

「豈有此理！參劾軍中大員，事先不經過我，就上奏朝廷。他曾國藩讀沒讀過大清軍律？張制軍不在這裏，就是駱中丞也不干預營中之事，何況這撤換二品大員的大事。眞是欺人太甚！」鮑起豹憤怒起來。

「都是塔齊布諂媚曾國藩，壞了咱們綠營的規矩。」

「傳我的命令，從明天起，營兵一律不再與團丁會操，塔齊布也不准再到大團那裏去教練。誰敢違背我的命令，先打他五十軍棍！」

「鮑大人，卑職這個委屈實在受不了。」清德擔心朝廷一旦接受曾國藩的參劾，他的二品頂戴就會被摘除。

「你放心，我這就向朝廷申述，不能讓曾國藩爲所欲爲。」

從那以後，綠營士兵再也不來會操，塔齊布也不敢再來教練團丁了。大團勇丁無故遭長沙協士兵的襲擊、唾罵之事屢屢發生。甚至曾國葆在街上都無緣無故地挨了他們一頓拳擊。曾國藩心裏窩著一團火，但他强忍著，也勸告曾國葆和其他受辱的團丁，天天照舊訓練。他在等待著朝廷的批覆。心裏想：若朝廷支持，則不怕他鮑起豹囂張；若朝廷不支持，馬上辭職回荷葉塘守墓！

六　大鬧火宮殿

夏去秋來，轉眼到了七月半中元節。十四日這天，綠營兵士每人得了五百錢節禮，又通知十五日放假一天。外委把總以上的軍官，每人都接到一份請帖：十五日下午在天心閣祭吊去年守城陣亡的將士，祭吊儀式結束後，鮑提督宴請。但藩庫沒有給大團三營團丁發一文節禮，包括曾國藩在內，也沒有一個當官的收到請帖。這是對團練的公然歧視！王鑫、李續賓、曾國葆等人對這種露骨的不公平待遇氣憤萬分。曾國藩強壓著滿腔怒火，將王鑫等人勸阻住，又設法想辦法，湊了點錢，十四日晚上匆匆發給團丁，總算把大家的怨氣暫時平息了。

團丁們每人分得五百文錢。各營各哨平日的伙食費，也都多少節餘點，多的有五、六百文，少的也有三、四百文，這些伙食尾子也發給了各人。團丁們絕大部分都是鄉下老實巴交的種田佬，分得的這千把文錢，自己都捨不得用，託熟人帶回去補貼家用。也有的一時找不到熟人，便穩穩當當地藏好，今後自己再帶回去。辰州、寶慶、新寧來的團丁中，也有家中較為殷實的。這些人不在乎這點錢，難得到省城來住，便三五成羣吆喝著逛大街、上館子，圖個快活。辰州團丁中有個叫滕繞樹的伢子，平日極羨慕鮑超的武功，想方設法跟鮑超接近，想求鮑超多教給他點武藝。今天得了幾個錢，他約了素日合得來的五個鄉親，商量好請鮑超到火宮殿去玩一玩。大家都說好。

這幾個月來，為報曾國藩的知遇之恩，鮑超盡心盡力地教練團丁，哪裏都沒去過。聽說火宮殿是個好玩之處，滕繞樹一邀，鮑超就滿口答應了。半路上又遇到塔齊布，鮑超說好久不見了，硬拉著塔齊布一起到火宮殿去。塔齊布拗不過，只得從命。一行八人有說有笑，來到了位於坡子街的火宮殿。

火宮殿果然熱鬧。正中是一座蓋著黃色琉璃瓦，斗拱飛簷、上面雕刻不少飛禽走獸的古老廟宇。廟宇裏供奉著一尊火神爺塑像。那火神爺金盔金甲、紅臉紅顏，眼如銅鈴，舌如赤炭，眞是一團正在燃燒的烈火，望之令人生畏。廟宇裏長年住著七、八個廟祝。這幾個廟祝主要不是服侍火神爺和接待前來請求保祐的香客，而是管理著廟門前那個人來人往熙熙攘攘的市場。

火宮殿四周紅色圍牆包圍了一大片空坪，因爲位於長沙鬧市區，久而久之，這空坪便爲走江湖跑碼頭的郎中、賣藝人、耍猴的、賣狗皮膏藥的、算命看相的、賣雜七雜八小玩意的集中地，也引起長沙城裏那些遊手好閒的人的興趣，賣各色小吃的小販們也到這裏來做生意，廟祝便來管理這塊發財之地。每天夜深，人散走後，他們淸掃場地；天亮則開門迎接各種來人。有的生意較好，要跟廟祝長來往的小販，常送些錢給他們，廟祝也就慢慢富裕起來。後來廟祝在空坪上搭起四個大敞棚，棚上蓋著樹皮，分別取名爲東成、西就、南通、北達。敞棚遮雨防晒，給賣主和買主都帶來方便。到了過年過節時，還有唱大戲的到這裏來賣藝。這火宮殿也就益發繁華熱鬧，幾乎可以和開封的大相國寺、南京的夫子廟媲美了。

塔齊布、鮑超、滕繞樹等人先進廟宇瞻仰火神爺的尊顏，又跟廟祝閒聊了一番。滕繞樹和那幾個辰州籍團丁作東，請塔、鮑吃火宮殿的名產。這火宮殿雖是集散無定之地，但也有好些賣吃食的小販，一代一代、常年累月在這裏做生意，有幾樣吃食便成了火宮殿傳統的名產。這幾樣名產是：王家的姊妹團子、蕭家的臭豆腐乾子、謝家的紅燒豬脚、何家的神仙鉢飯。逛火宮殿的人，不吃吃這幾樣東西，就不算逛了火宮殿。

塔、鮑一行先來到南通棚。只見這裏是一個說書人在說蘭陵笑笑生的《金瓶梅詞話》，正說到西門慶貪欲喪身一節，聽衆擠得水泄不通，漫說找個座位，連個站的地方都沒有。無奈，只得走到對面的北達棚。棚裏一個耍猴的操著河北口音在叫道：「徒兒們，把連升三級這齣戲，由賽悟空給各位叔叔伯伯兄弟爺們表演一番，請各位指教指教，給俺們捧個場。」

一陣細鑼敲響，一個徒兒捧著三頂不知哪個朝代的官帽走上場。只見那三頂帽子一頂全黑，一頂半紅半黑，一頂全紅，那帽子兩邊是兩個放大的紙糊的黃燦燦的銅錢，用兩根竹棍子與帽子連起來。全紅官帽銅錢最大，全黑官帽銅錢最小。又一個徒兒牽著一隻瘦骨嶙峋的猴子出來。那猴子兩只眼睛忽閃忽閃，賊溜溜地這邊轉轉那邊轉轉。隨著鑼聲，徒兒用繩子牽著它一蹶一拐地走圓場。滕繞樹心想，這猴兒的名字倒怪美的，賽悟空，但却是簸箕比天——太不自量了，莫說不能賽過孫悟空，只怕是孫大聖拔根毫毛吹出的猴子也比它强百倍。

塔齊布、鮑超等人站著看了一會，見找不到座位，便又出來，轉到東成棚。

東成棚裏，一個賣狗皮膏藥的關中大漢，光著上身，打了一路拳，又耍一頓三節棍，弄得渾身大汗淋漓。那大漢彎腰抱拳，用帶有深重鼻音的關中腔叫道：「祖傳秘方，名藥配制，馳名江湖，譽滿海內。在下姓沈，陝西米脂人，祖傳十代專配狗皮膏藥。嘿！」那漢子拍了一下光溜溜的胸膛，聲音放高起來，「頭暈目眩，四肢酸脹，腰痛腿痛，頭痛脚痛，男子遺精早泄，勃起不堅，婦女月經不調，長年不育，貼了我沈家祖傳膏藥一帖，立見效果，兩帖過後，病痛消除，三帖四帖，永遠斷根。一百文一帖，一百五十文，買一帖送一帖，要者從速，過時不候。」塔齊布最瞧不起以打拳舞棍來招徠顧客販賣膏藥的人。他認爲這些江湖騙子褻瀆了中華武功。略停了一下，便離開東成棚，鮑超、滕繞樹等也跟著出來了。

剛走出來，塔齊布便看到東成棚的東角偏僻處，有一個三十餘歲的漢子正在舒氣運神。他停下脚步，不露聲色地仔細看著。只見那漢子用脚尖點觸地面，雙手空握，一前一後，一左一右地打出去，脚尖不停地在地上繞圈子，雙腿微屈，整個身子看去輕飄飄的。看那漢子臉上，却神色凝重，嘴唇緊閉，兩腮泛紅。塔齊布注目看了半晌，大步走上前去，雙手一拱：「大哥請了！」

那漢子停住，看塔齊布一身戎裝，便客氣地回答：「將軍請了！」

塔齊布說：「在下適才間看大哥行步運拳的架式，想冒昧問一句：大哥打的是不是巫家拳？」

那漢子面露喜色，說：「將軍好眼力，鄙人剛才打的正是巫家拳。」

「大哥拳法，嚴謹緊湊，外柔內剛，深得巫家拳法之精蘊。大哥拳術造詣，當今少有。」

「將軍過獎了。」

「大哥，恕在下唐突。大哥這等本事，，埋沒在這勾欄瓦肆之間，豈不可惜？何不以此報效國家，且可光大巫家拳術。」

「鄙人並非長住此地。」漢子說：「因前幾日過忙，未遑練功，今日偶爾路過此地，得點空閒，故略爲舒展一下筋骨。將軍勸我報效國家，莫非要鄙人投軍嗎？」

「正是。」塔齊布說。

漢子哈哈一笑，說：「時下之綠營，也可以談得上報效國家的軍隊嗎？」

塔齊布臉一紅，立即說：「我並非勸大哥投奔綠營。目前長沙另有一支人馬，急需你這樣的人才，你可願去？」

「哪支人馬？」

「曾大人曾國藩辦的團練，現有三營一千多號人馬。」

那漢子又是一笑，說：「將軍，你我初次相交，我看得出，你是個有本事有血性的男子漢，故願和你多說幾句話。依我看，不獨我不應去投綠營投團練，我還勸將軍也及早解甲歸田爲好。二千年前南華眞人便已經看透這一切，什麼江山社稷，實際上只是蝸角罷了。你說辦團練的是『爭』大人？哎！世道壞就壞在一個『爭』字上。古往今來，一個『爭』字，害得人世間互相仇恨殘殺，永無休止。還是南華眞人說得好：『榮辱立然後睹所病，貨財聚然後睹所爭。』看輕榮辱，不慕貨財，無病無爭，世界才能安寧呀！時候不早，將軍自愛，後會有期。」說罷揚長而去。塔齊布搖搖頭，走進了西就棚。

這是最後一個棚子了。棚子裏較爲安靜。一張桌子邊，有個遊方郎中在給一個老婆子診脈。一個瞎子坐在幾個桌子之間的空隙處。那瞎子呆頭呆腦的，面前攤開一張大紙。紙正中畫了個太極圈。圖右邊寫著「點破迷途君子」，左邊寫著「指引久困英雄」。鮑超看了好笑，說：「自己這副要飯的相，黑白不分，晝夜不明，還要指引別人，眞正可笑！」

塔齊布說：「自然也有人甘願聽他的瞎扯，不然，他也不會天天擺攤子了。」

那瞎子聽到說話聲了，忙喊：「算命抽花水啦！專講實話，不打誑語。」

衆人都笑了。恰好有一桌人會了帳，滕繞樹趕緊佔了這張桌子。招呼塔、鮑等人坐好後，他和另外兩個辰州勇忙著張羅。一會兒，捧來一壇白沙液老酒，端著一大盤臭豆腐乾、四籠姊妹團子，每人面前再擺一大碗紅燒豬脚，又叫來幾個炒菜。大家津津有味地吃著。滕繞樹問塔齊布：「塔爺，剛才你老對那個打拳人爲何如此客氣？我看那人的拳術也平平，比鮑哨官差遠了。」

塔齊布未及回答，鮑超搶著說：「這人的拳術不錯，你不懂，不要看輕人家了，只不過我一時沒有看出他的路數來。塔大哥，你細說給我們聽聽。」

塔齊布說：「諸位有所不知，那人的功夫深得很，他打的是南拳中極有名的一家——巫家拳。」

「巫家拳來歷如何？」一個辰州勇問。

「乾隆末，福建汀州有個拳師名叫巫必達，幼年闖蕩江湖，廣拜武林高手，經過幾十年的苦鑽苦練，將福建少林外家拳術的陽剛、勁健、强身、壯骨的特徵與湖北武當內家拳術的藏精、蓄氣、培神、固本的秘旨結合起來，形成一種外有行雲流水之柔、內有五岳三江之剛的巫家拳。巫必達後來在湘潭教習李大魁，以後又傳與馮南山、馮連山兄弟。死後葬在湘潭，由李、馮兩家立碑。巫家拳廣爲流傳在南方，但眞正得其奧妙的是李、馮二家。可惜剛才忘記問那漢子的姓名了。」

「這巫家拳我也聽說過，只是沒有親眼見到。那人剛才打的是巫家拳中的哪一路？」鮑超問。

「他剛才打的是梅花拳，爲巫家拳中第一絕招。你看他雙腳尖在地上繞圈子，莫以爲是隨便繞繞，那劃出的圈子是一朵朵梅花。」

滕繞樹驚訝地說：「我們是外行，竟一點都看不出來。」

「巫家拳還有太子金拳、麒麟、四字、正平、擺門、單吊、招吊、三樁等六肘拳，都是很厲害的。」

衆人聽了，對塔齊布的巫家拳術知識的豐富，都很佩服。滕繞樹又就福建少林外家拳和湖北武當內家拳兩家拳術的異同，向鮑超和塔齊布請教。大家正邊吃邊談得高興，忽聽得旁邊一桌人大吵大鬧起來。

這是四個鎮筸兵在喝酒賭博。輸者不服氣，先是罵著粗話髒話，然後和贏家扭打起來。另外兩個並不勸架，反而在一旁添火加油。塔齊布看不像話，過去喝道：「不要在這裏打架！丟人現眼的，要打回營房去打！」

鎮筸兵自明代起便以凶悍聞名於世。咸豐時期的鎮筸兵，雖不能跟過去相比，但在全國綠營六十六鎮中，仍然算是第一等强悍。個個是私鬥、打羣架、管閒事的能手，平時相處，內部常起械鬥。一聲胡哨，立即形成兩軍對壘之勢。打得眼紅了，白刀子進，紅刀子出，也不在乎。一般總兵都怕調到鎮筸鎮來。若是遇到鎮筸鎮的兵與別鎮的兵爭吵起來，鎮筸兵便會自動聯合起來，一致對外，拿刀使棒，不把對方打敗，決不罷休。當下這幾個鎮筸兵聽到塔齊布的吆喝，扭打的鬆了手，都斜歪著頭看著塔齊布。其中一個說：「老子們在這兒玩玩，干你何事？你叫個屁！」

鮑超走過來大聲說：「一個參將的話，你們都不聽，還有軍紀王法嗎？」

一個鎮筸兵也斜著眼，噴著滿口酒氣，冷笑說：「你算什麼東西？吃飽了脹著肚子，到茅房裏拉屎去！人還沒變全，竟敢教訓起你的大伯來了！」

滕繞樹看著這幾個鎮筸兵如此驕橫粗野，用這種難聽的話罵鮑超，他一則聽著不舒服，二來也要討好鮑超，便衝過去大聲說：「這是鮑哨官，你們休得無禮！」

那人哈哈笑起來：「么子雞巴鮑哨官，老子只知道山海關、函谷關，從來也沒有聽說過什麼鮑哨『關』。屌毛灰團丁頭，也算個官嗎？」

另一個鎮筸兵冷言冷語地說：「這鮑哨官不就是那個窮得無聊要賣老婆的痞子嗎？什麼時候當起官來了？」

四個鎮筸兵放聲狂笑。鮑超又氣又羞，滿臉通紅，脖子上的筋一根根鼓起，恨不得將這幾個兵油子捏個粉碎。滕繞樹跨上前去，要和他們講理。一個鎮筸兵大叫：「你要打人嗎？」說時手一抬，滕繞樹臉上挨了一巴掌。滕繞樹火了，一拳打過去，那人牙齒碰著舌頭，頓時鮮血直流，氣得哇哇大叫，用頭撞過來，另外幾個兵也跟著衝來。辰州團丁們仗著有鮑超在旁，勇氣大增，一齊迎上去，大打起來。棚裏棚外的人，見兵勇打鬥，嚇得紛紛逃離，那瞎子也捲起太極圖慌忙走開。鮑超幾次想打過去，被塔齊布抱住了。鎮筸兵人少，吃了虧後，狼狽逃出火宮殿。塔齊布、鮑超、滕繞樹等繼續喝酒吃飯，待到日頭偏西時才回營。

還沒等他們在營房裏坐定，一百多名鎮筸兵人人執刀拿槍，氣勢洶洶地跑到三營營房門外，大聲嚷道：「把在火宮殿打人的凶手交出來！」營房裏其他辰州、新寧、寶慶等地團丁都不明白發生了什麼事。營官鄒壽璋急忙走出營房：「弟兄們，有話好說，鄒某人一定負責處理好。」

火宮殿裏幾個挨打的兵吵吵嚷嚷地說了個大概。鄒壽璋怕鬧出大事，陪著笑臉說：「弟兄們先回去，待我稟告曾大人後，一定從嚴處治。」

待鎮筸兵走後，鄒壽璋把滕繞樹等人叫來，詳細訊問。滕繞樹把情況如實說了一遍。鄒壽璋和鮑超一起來到巡撫衙門射圃旁的曾國藩住所裏。鄒壽璋把情況說了一遍。曾國藩氣得臉色鐵青，掃帚眉倒吊，三角眼裏充滿殺氣。鮑超嚇得兩腿打顫，跪下說：「鮑超該死！今日在火宮殿，實是因爲鎮筸兵罵鮑超。他們罵鮑超，看不起團練，其實就是罵大人，看不起大人，若不是塔齊布將軍扯住，鮑超今日會打死那幾個畜生。曾大人，鮑超辜負了你老的情意，你老打鮑超一百軍棍，把鮑超趕出團練吧！鮑超是個堂堂男子漢，也不想再在團練裏受這種鳥氣。我還是到江寧找向提督去。」

曾國藩在房裏快步走來走去，牙齒咬得咯咯響，腮巴一起一伏，一句話也不說。羅澤南說：「鮑哨官無過，還多虧鮑哨官氣量大，沒有釀成更大的事故。今日之事，錯在鎮筸兵，但滕繞樹也有些責任。綠營、團丁之間本不和，爲了顧全大局，不如忍下這口氣，將滕繞樹等人責打幾十軍棍，平息這場風波算了。」

曾國藩看著羅澤南說：「綠營欺負曾某人，得寸進尺，連兄弟們也跟著我受委屈。從大局著眼，自然應如你所說，忍著，以免事態擴大。但綠營怯於戰陣，勇於私鬥，此種積習，為害甚烈。我今日正要借此事整一下這股歪風。」

羅澤南有些擔心：「如何整法？說不定會鬧出更大的事來。」

曾國藩說：「想必鮑起豹也不會有意把事態擴大吧！」

曾國藩叫鮑超起來，親筆修書一封給鮑起豹，說火宮殿兵丁私鬥，影響極壞，為嚴肅軍紀、懲前毖後，這邊將滕繞樹等打五十軍棍，並以箭貫耳遊營三日，也請鮑提督將鎮筸鎮鬧事的士兵作同樣處治。

鮑起豹看完信，冷笑一聲，心裏說：「要老子處治，老子才不做這種蠢事。我要你曾國藩下不了台。」他也叫人寫了一封信。信上說：「火宮殿鬧事士兵已捆綁送來，請曾大人按軍律處置。」鮑起豹派了幾個親兵到鎮筸兵駐地，聲言曾國藩要捆今天下午在火宮殿和團丁打架的四個士兵。親兵將這四個兵捆好，連信一起送給曾國藩。

鎮筸兵原以為團丁會來向他們賠禮道歉，現在想不到竟然將他們的兄弟捆了去，軍法從事。鎮筸兵感到蒙受了奇恥大辱。帶兵的頭領、雲南楚雄協副將鄧紹良親自指揮，吹號集合。他煽動說：「曾國藩的團丁捆綁我們四個兄弟，要將他們殺頭示衆。這是我們鎭筸兵數百年來沒有過的恥辱。士可忍，孰不可忍！我們怎麼辦？」

隊伍中有人喊叫：「衝到審案局去，把弟兄們搶出來！」又有人叫：「曾國藩敢殺我們的人，我們就殺掉曾國藩！」也有人喊：「塔齊布身爲綠營將官，反而爲團丁講話，他是綠營的奸細。今天的事是他引起的。」有人擧起刀喊：「搗毀塔齊布的窩！」鎭筸兵一致擁護。

鄧紹良率領三百多個鎭筸兵，氣勢洶洶地衝進塔齊布的住房，把塔齊布房間裏的全部東西打得稀巴爛。塔齊布幸而事先躲到室後草叢中，才免於一死。搗毀了塔齊布的家後，鎭筸兵又呼嘯著向審案局衝去，將審案局團團圍住，七嘴八舌地高聲喧鬧：「曾國藩放出我們的兄弟！」、「不放人我們就衝了！」

親兵告訴曾國藩。

曾國藩正在與羅澤南對奕。他將鮑超喚到跟前來，對著他的耳朵吩咐一番。鮑超立即出了門。曾國藩神色自若地對羅澤南說：「羅山，該你走了。」

「還是出去跟他們說幾句話吧！」羅澤南放下手中的棋子，從近視眼鏡片後投來不安的目光。

「不理睬他們，看他們怎麼鬧。」曾國藩的眼睛始終沒有離開過棋枰。

一陣急促的脚步聲伴隨著刀槍相撞聲從外邊傳了進來，曾國藩轉過臉看時，鄧紹良帶著幾十個士兵旋風似地衝進門，已到了他的身邊。羅澤南見勢不妙，急忙打發親兵告訴王鑫，叫他翻牆到巡撫衙門去請駱秉章過來。一個鎮箄兵已拔出刀來，刀尖直指曾國藩的額頭。鄧紹良用手撥開刀，不客氣地對曾國藩說：「曾大人，請你放人！」

曾國藩坐在棋枰邊，紋絲不動，一手把玩著棋子，慢慢地說：「鮑提督派人將鬧事的士兵送到我這裏，並有親筆信，要我軍法從事。處置完畢，人自然放回，何勞鄧副將你興師動衆、氣勢洶洶地前來索取呢？」

鄧紹良瞪起雙眼，怒目而視：「我要你現在就放人！」

曾國藩太陽穴上的青筋在一根根地暴起，棋子已經停止轉動，被兩只手指緊緊地掐住，雖仍坐在棋枰邊未動，語氣却生硬得多了：「本部堂尚來不及處置，現在豈能放！」

鄧紹良左手緊握刀鞘，右手捏著刀把，走上一步，氣焰咄咄地吼著：「你到底放不放？」

「砰」的一聲，曾國藩將棋枰一脚踢倒，虎地站了起來，吊起掃帚眉，鼓起三角眼，滿臉青裏透白，一股殺氣衝出，厲聲喝道：「鄧紹良，你欺人太甚！」

鄧紹良冷不防曾國藩這麼一著，不自覺地退了一步，右手鬆開了刀把。曾國藩指著他罵道：「鄧紹良，諒你不過只是一個操刀殺人的魯莽武夫而已，竟狗膽包天，在我欽命幫辦團練大臣面前如此放肆。你眼裏還有沒有朝廷，有沒有國法！」

經這一罵，鄧紹良的囂張氣焰矮了半截，嘴巴上仍硬著：「曾大人，不是我放肆，審案局不放人，弟兄們不答應！」

曾國藩目光如噴火般地瞪著鄧紹良：「鄧副將，弟兄們不答應，你答不答應？手下的士兵都不能彈壓，朝廷要你這個副將何用？況且你要明白，今天是你帶兵闖進了我的衙門，你是犯上鬧事的帶頭人！」

鄧紹良覺得事情不妙，不免有些氣餒。身旁的士兵在亂嚷：「放人，放人！不放我們就要搜了！」

「不得無禮！」正在不可開交之時，駱秉章進來了。他對曾國藩一笑，「曾大人，這是怎麼回事？」

「駱中丞，曾大人捆了我們四個兄弟。」鄧紹良搶著說。其實駱秉章早已知事情的原委。鎮箪兵如此吵吵鬧鬧地圍攻審案局，巡撫衙門僅在一牆之隔，他如何不知？但這個老官僚滑頭得很，若不是王鑫翻牆去請，他是不會過來的。讓曾國藩受點委屈也好，誰叫他的手伸得太長了！王鑫過來請，他不能不放駕了。

「鄧副將，這樣對待曾大人，太不應該了，還不快出去！」打了鄧紹良一下後，駱秉章又轉過臉對曾國藩說：「曾大人，火宮殿鬧事的兵非得狠狠處置不可，此事由我來辦。眼下羣情洶洶，難免不出意外之事。今後朝廷追問下來，你我都不好交代。我看暫時放了這幾個人，平息了衆怒，再從容處置。你看如何呢？」

曾國藩心想：好個滑頭偏心的駱秉章！什麼「平息衆怒」，難道是我做錯了事，激起了他們的「衆怒」？你駱秉章怕犯鎮筸兵的衆怒，就不怕犯團練的衆怒？好！事情既已如此，我要你看看我曾國藩的手段！

「駱中丞，你請坐。我循鮑提督之請，處置火宮殿鬧事人。曾某人一碗水端平，決不偏袒哪方。團丁滕繞樹等六人，昨日已每人打了五十軍棍，貫耳遊營三日。鎮筸兵也同樣處置。」不等駱秉章開口，曾國藩大喊一聲：「來人！把鮑提督捆來的四個鬧事者押上來！」

康福答應一聲，走出門外高喊：「帶人上來！」

只見鮑超、劉松山、彭毓橋、李臣典、王魁山、易良幹等人全身披掛，帶著一百名手執刀槍的團丁，押著四個鬧事的鎮筸兵上來。這一百個團丁進得門來，便一齊站在屋內鎮筸兵的周圍。鮑超拿著一把明晃晃的大刀，凶神惡煞般地走到鄧紹良的身邊。劉松山、彭毓橘等人分站在曾國藩的兩旁。駱秉章見此情景，早嚇得臉色慘白，如坐針毡。鄧紹良和他的士兵們也有一種大禍臨頭的恐懼。那四個雙手被捆的鎮筸兵嚇得兩腿發軟，「噗通」跪在曾國藩面前。曾國藩喝道：「你們身爲保境安民的兵士，却帶頭在公衆場合鬧事行凶，惡劣至極！本部堂按大清軍律第一百二十三條第八款，並循鮑提督所請，杖責五十軍棍，貫耳游營三日。」

說完將茶木條往案桌上重重一擊，高喊：「來人呀！」

「在！」兩旁一聲雷鳴般地吼叫，早有八條大漢手持八根水火棍，如狠似虎般地走上前來，將四個鎮筸兵按倒在地，扯掉褲子，掄起水火棍便打。

曾國藩坐在太師椅上，想起這幾個月來所受鮑起豹、清德的窩囊氣，想起弟弟及團丁們所受綠營兵士的欺侮，滿肚子的仇恨，隨著一下下的棍擊聲發洩出來，他多次想命令行刑的團丁：「給我往死裏打！」但瞥見坐在一旁汗如雨下的駱秉章，又將這句話嚥了下去。八個行刑團丁又何嘗不和曾國藩一樣的心情，無須他的命令，個個用死力打。二十、四十，一棍棍下去，越打越重，越打越凶。可憐那四個倒楣的鎮筸兵先是喊爹喚娘、鬼哭狼嚎，到後來，便連喊都喊不出聲來了。打滿五十軍棍後，又將他們抓起來，在每人左耳上插了一支箭。只見鮮血流出來，却聽不到叫痛聲——人早已痲木了。

曾國藩冷冷地對四個鎮筸兵說：「看在鎮筸鎮兄弟們來接的分上，遊營三日，罰在本營進行。你們現在可以走了。」

幾個鎮筸兵上來，背起他們出了門。鄧紹良內衣早已濕透，正要出門，曾國藩喝住：「鄧紹良，你身為副將，平日治軍不嚴，咎責已重，今日又帶兵闖進審案局衙門，持刀威脅本部堂，形同謀反，罪當誅戮。本部堂因不直接管你，且暫時放你回去。來日本部堂將與駱中丞、鮑提督妥商，申報朝廷，你回營待審吧！」

鄧紹良蔫頭搭腦地出了門，見衙門外鎮筸兵的四周，已被全副戎裝、滿臉凶惡的團丁死死看定了。鄧紹良做不得聲，只得擺擺手，帶著鎮筸兵訕訕走了。屋裏，曾國藩對坐在一旁發呆的駱秉章說：「駱中丞，你受驚了。國藩此舉，實出不得已，尚望中丞體諒。」

駱秉章見全部兵勇都已退出，慢慢地恢復了元氣。他對曾國藩不聽勸告，在他面前如此強硬十分生氣，責怪說：「滌生，你太強梁了。綠營與團丁的冤仇，這一世都不能解了。」

曾國藩心中不快地說：「我剛才的處置錯在那裏？」

駱秉章惱火了：「滌生兄，不是我說你。我身爲湖南巡撫，要對湖南負責。說不定哪天長毛捲土重來，你的那幾個團丁能抵抗嗎？他們只配抓抓搶王、土匪，是上不了大場面的。打長毛，還得靠綠營，靠鎮箪兵。你這下好了，當著我的面，打了他們的人，還揚言要誅戮鄧紹良。三千鎮箪兵還要不要？你叫我這巡撫如何當？」

曾國藩見駱秉章如此瞧不起團練，偏袒鎮箪兵，大爲光火。他強壓著怒火，冷笑道：「中丞不要著急，長毛來了，我自有辦法。」

駱秉章反唇相譏：「你有何法？眞的有辦法，也不會有火宮殿的鬧事！」

說罷，拂袖而去。

七　停屍審案局

正當審案局這邊爲出了口氣而快慰的時候，更大的麻煩事却來了。

原來，那四個挨打的鎮箪兵中有一個名叫王連升的，年紀本有四十五、六歲了，前幾天又害著病。那天略好點，便被同伴拉去火宮殿喝酒，回來時便感了風寒，被捆綁到審案局已是受驚。這下又挨了五十軍棍，穿了耳朵，一背到營房便昏蹶過去，搶救無效，當夜便氣絕了。鎮篁兵聞之，人人怒火冲天，聲言要曾國藩償命。

第二天一早，鄧紹良便來謁見鮑起豹，將昨日的情形和王連升的死，添油加醋地說了一遍。鮑起豹這一氣非同小可，他揮舞著手中的長烟杆，嚷道：「好哇，曾國藩這個婊子養的，竟敢在老子的權限內胡作非爲，我豈能容他！鄧紹良，你將王連升的屍體抬到審案局去，叫審案局爲他披麻帶孝，以命抵命。就說是我鮑起豹說的，看他曾國藩這個狗娘養的有什麼能耐！」

鄧紹良見鮑起豹這樣爲他撐腰，登時神氣起來。他集合三百鎮篁兵，抬起王連升的屍體，氣勢洶洶地來到審案局。

當曾國藩得知王連升被打死的消息，心頭一驚，隨即很快鎮靜下來，吩咐緊閉大門，對於鎮篁兵的任何叫罵，都不予理睬。鄧紹良不敢衝大門，他知道萬一引起綠營和團丁火併起來，他的腦袋也保不住。

鎮篁兵在審案局外叫鬧了半天，無一人答理。鄧紹良叫人將鮑起豹的話和自己出的一條主意共三條，用白紙寫了，糊在牆壁上，把屍體擺在門口，然後帶著鎮篁兵揚長而去。

康福到門外轉了一圈，進屋來告訴曾國藩：「門外貼著一張白紙，那些龜孫子給大人提了三點要求。」

「怎麼說？」

「第一條，審案局爲王連升披麻帶孝辦喪事。」

「哼！」曾國藩發出一聲冷笑。

「第二條，打死王連升的團丁要以命償命。」

「妄想！」

「第三條，發王連升遺屬撫恤銀一千兩。」

「鄧紹良在白日做夢！」曾國藩叫起來，「康福，你帶幾個人把王連升的屍體搬開，我審案局的衙門天天要辦事，豈能讓這具臭屍擋路。」

「慢點。」康福正要走，羅澤南連忙叫住，「滌生，我看是這樣：先買副棺材來，將王連升的屍體裝殮，抬到一間空屋裏去。這麼熱的天，屍體放在審案局外不好。你看如何呢？」

曾國藩未作聲。羅澤南叫康福帶人去辦。待康福走後，羅澤南又說：「滌生，我看此事還得跟駱中丞商量一下才是。」

曾國藩想起駱秉章昨天的態度，知道跟他商量不出個好主意來，但事情重大，又不能撇開他，便說：「還是請璞山過去先跟他說一聲吧，晚上我再過去拜訪。」

過一會，王鑫回來，面色不悅地說：「駱中丞家人說他昨日受驚，今日病倒在床上，這兩天不見客。」

曾國藩的長臉登時拉了下來，心中罵道：「好個駱秉章，你是存心讓我下不了台！」對王鑫說：「不來算了！」

說完一屁股坐在椅子上出大氣，兩只拳頭捏得緊緊的。

羅澤南輕輕地說：「光氣憤不行，此事要慎重處理。人命關天，讓朝廷知道了，亦不是件好事。」

曾國藩說：「羅山，這明擺著是鮑起豹、鄧紹良在尋釁鬧事，哪有五十軍棍就打死人的道理。」

「是的。莫非王連升早有病在身？」

羅澤南這句話提醒曾國藩，他說：「羅山，你這話說得好，王連升一定是先有病。」

「不過，王連升總是死在審案局的軍棍之下。你說他有病在身，證據呢？」

「叫個人去訪查一下。」曾國藩想了想，說：「叫誰去呢？鎮篁兵向來一致對外，王連升即使有病此時他們也不會說了。」

「叫楊載福去，他在辰州練了半年新兵，與鎭筸兵有些聯繫，要他用重金收買，套出些話來。」

三天後，楊載福果然通過一些老關係，探知王連升在打軍棍之前已患病，並從王連升撿藥的利生藥鋪裏查出了帳單。利生藥鋪老板賀瑗的堂妹已許配給曾國藩的長子紀澤爲妻，兩家結了親。賀瑗願爲此事出來作證。曾國藩聽了楊載福的報告，高興地說：「這下好了，把王連升的屍體給他抬回去，對他的死，審案局不負責任。」

「滌生，話不能這樣說。」羅澤南說：「軍律上講，處置犯事官兵，倘遇有病在身，可緩施行。鮑起豹、鄧紹良還可據此上告。我看此事雙方都讓些步，快點平息算了。」

曾國藩心中老大不高興。轉念一想，鮑起豹眞的據此上告，自己也脫不了關係，便對羅澤南說：「這樣吧，你就代表審案局和鄧紹良去商談，總不能讓他們多佔便宜才是。」

當羅澤南亮出王連升在利生藥鋪撿藥的帳單，以及賀瑗當面證明王連升受刑前已風寒嚴重時，鄧紹良氣焰收斂了許多，經過討價還價，最後雙方定下三條：一、審案局派人護送王連升靈柩回原籍；二、審案局賠撫恤費五百兩銀子；三、打死王連升的兩個團丁開除回籍。

曾國藩見到這三條，甚爲不快，但知目前這種情況下，也只有這樣處理才能使鎭筸兵勉强答應。爲表示對打死王連升的那兩個團丁的安慰，曾國藩叫羅澤南各送他們十兩銀子，並特許他們兩年後再來。

八　逼走衡州城

一連幾天。曾國藩鬱鬱寡歡。這一夜，他想起到長沙協團練的這七、八個月來，事事不順心，處處不如意，心裏煩躁已極，身上的牛皮癬又發了，奇癢難耐。他氣得死勁地抓，弄得渾身血迹斑斑，床上一層癬皮。

十年前，曾國藩在京中得了這個皮膚病，不知請過多少個郎中，吃過多少服藥，總不得痊癒，特別是遇到事煩心亂時，更是癢得厲害，有時輾轉床上，通宵不能入睡，簡直無生人之樂。有一年，荊七帶來一個江湖郎中，自稱是治癬病的高手，一連上門看了三個月，一天一服藥，最後無一絲效果。郎中知此病無法醫好，尋思著退步。他悄悄地請荊七到前門大街一家酒店，求荊七幫他出主意，又拿出五兩銀子作謝金。荊七貪戀這五兩銀子，將曾國藩是蟒蛇精投胎的傳說說了一遍，並告訴江湖郎中一個脫身的法子。

一天，江湖郎中叫曾國藩把衣褲全部脫掉，煞有介事地上上下下、前後左右細細地看了一遍，撫摸良久，見曾國藩背部和兩條大腿上全是一圈接一圈的白癬，想著荊七講的傳說，心中暗自詫異。他幫曾國藩把衣褲穿好，滿臉諂笑地對曾國藩說：「大人，我今日才算是眞正看明白了，大人原來並不是患的癬病，乃是與生俱來的本性。大人，你前生不是凡人，而是昆侖山上修煉了千年之久的蟒蛇，這滿身圓圈，便是明證。大人，此病不必治了，倘若眞的沒有這一身圓圈，大人今後何能穿仙鶴蟒袍，登宰相之位？」

曾國藩聽了江湖郎中這番話，想起母親常說的蟒蛇精投胎的故事，心情舒暢。不但不責備郎中醫治無術，反而賞了他一錠大元寶，果然從此以後再不醫治。

待癢略止，曾國藩起床，自己磨墨攤紙。他要向皇上奏參駱秉章、鮑起豹。剛寫了句「爲奏參庸劣官員駱秉章、鮑起豹」的話，便又頹然停住筆。他想起參劾清德的奏折，皇上至今沒有批覆下來。是同意，還是不同意？對湖南官場，皇上究竟如何看待？直接參劾湖南文武最高官員，會不會引起皇上的反感？再說，爲兵丁鬥毆一事去參劾對方，皇上對此又會如何看待自己？「天意從來高難問」。他覺得滿腹苦水無處倒，氣得將筆杆折斷，把紙揉爛，扔到簍子中。過一會，他又從簍子中把那張紙尋出來，細細地抹平，看了看，放在燭火上，失神地看著它迅速變爲灰燼。王荊七跟著曾國藩十多年了，從來沒有見他這樣憤怒過。荊七不敢勸，更不敢自己去睡，只得坐在門外陪著。

「駱秉章、鮑起豹看不起我，我就偏要爭這口氣不可！偏要練就一支強兵勁旅來，給他們瞧瞧！」曾國藩下定了決心。壁上，唐鑒所贈「不作聖賢，便爲禽獸」的條幅跳入眼帘，當年與鏡海先生切磋學問的情景，又浮現在腦中。是的，古往今來，哪一個辦大事、成大功的英雄，沒有過一番困厄顛沛的經歷？他輕輕地念起太史公的名句：「古者，富貴而名磨滅不可勝記；唯倜儻非常之人稱焉。蓋西伯拘而演《周易》；仲尼厄而作《春秋》；屈原放逐，乃賦《離騷》；左丘失明，厥有《國語》；孫子臏脚，兵法修列；不韋遷蜀，世傳《呂覽》；韓非囚秦，《說難》《孤憤》；《詩》三百篇，大抵賢聖發憤之所爲作也。」念著念著，他心裏慢慢好受多了。

心中的怒濤平息下來後，他開始冷靜地思考出路。他想起這幾個月來的所作所爲，僅只限於平亂安境而已，離建曾家軍、與長毛決一雌雄的目標還差得很遠。如果這個目標不達到，官場和綠營便會始終看不起，而自己一生的理想也只是空想罷了。幾個月來，他已逐漸清醒地看出，長沙不是做事的地方。官場暮氣沉沉，綠營腐朽透頂，他們自己什麼正事都不幹，而別人要幹事，則又是嫉妒，又是掣肘，最後弄得你一事無成方肯罷休。這裏好比一羣烏鴉麇集之地，只有當你渾身變得和它們一樣黑的時候，才不會聽到前後左右的聒噪聲。漫說建不成新軍隊，就是辛辛苦苦建起來，不久也會被綠營的惡習所傳染，最終也必定會和他們一起爛掉。必須離開長沙！這一點，曾國藩是愈來愈看清了。二月份，在給皇上的一份奏折中，曾國藩提到衡州一帶地方混亂，擬到衡州去駐紮一段時期。那時他已覺察到長沙官場的難處，暗中為自己埋下一條出路。皇上對此沒有異議。至今一直沒有走，是因為他有顧慮。擔心到衡州去擴充團練，會招致離開監督、自樹一幟的非議。現在顧不得這些議論，非去不可了。團練和綠營結下如此深的怨仇，今後的衝突磨擦會無窮無盡。掂掂實力，曾國藩知道自己目前尚扳不過駱秉章、鮑起豹和綠營。走吧！到衡州去，離開這批成事不足、敗事有餘的庸碌之輩，到衡州去大展鴻圖！

主意打定後，東方已泛白。他盥洗完畢，拿起書箱裏一本《詩經》，信手翻到一頁，高聲吟誦：「伐木叮叮，鳥鳴嚶嚶，出自幽谷，遷入喬木。」他忽然覺得這是一個吉兆，預卜從此可以走出幽谷，步入陽光普照的大道。

第五章　衡州練勇

一　王鑫掛出「湘軍總營務局」招牌，遭到曾國藩的指責

位於南岳衡山南麓的衡州城，是湖南僅次於長沙的名城。湖南自古有三湘之稱。何謂三湘，其說不一。有一種說法是：瀟湘、蒸湘、沅湘合爲三湘。衡州城正是蒸水與湘水的滙合處，爲兩廣之門戶，扼水陸之要衝，物產富庶，民風强悍，歷來是兵家必爭之地。曾國藩對衡州特別親切，這是因爲他一來祖籍衡州，二來歐陽夫人是衡州人，三則他少年時代曾在衡州求學多年。來到衡州，曾國藩如同回到湘鄉，有一種魚游大海、虎歸深山之感。

衡州城小西門外蒸水濱，有一片寬闊的荒地，當地百姓稱之爲演武坪。這是當年吳三桂在衡州稱帝時，爲演兵而開闢的，後來便成爲歷代駐軍的操練場，比長沙南門外練兵場要大得多。曾國藩把他帶來的一千多號團丁，便安紮在演武坪旁邊的桑園街，指揮所設在桑園街上一棟趙姓祠堂裏。爲便於日常商討，他要羅澤南、王鑫、李續賓、李續宜、康福、江忠濟及滿弟國葆等都住在祠堂裏。

這天上午，曾國藩吩咐王鑫佈置指揮所後，便帶著羅澤南等人去拜訪衡州知府陸傳應。在知府衙門裏吃完午飯回來，曾國藩老遠就聽見趙家祠堂前鞭炮轟響。羅澤南笑著對曾國藩說：

「璞山辦事能幹，就是有點好大喜功的毛病。其實也不必搞這大的排場，像金號開張一樣。」

羅澤南出身酷貧，又篤信理學，持身處事一向節儉，在這點上與曾國藩甚是相投。曾國藩點點頭說：「關鍵是要把勇練好，這種虛排場不要擺。」

王鑫見曾國藩回來，滿面春風地迎上前去，說：「曾大人，木牌子一時做不出來，我們這樣大的一個衙門，豈能沒有招牌？我一邊叫木匠趕快做，一邊先用紙寫了糊起來。爲圖個吉利熱鬧，買了幾萬響鞭炮慶賀慶賀。」

曾國藩看祠堂正門右邊，已從頂到底糊上一長條紅紙，上面用顏體端端正正地寫了一行大字，字字飽滿穩當，出自王鑫的手筆：「欽命團練大臣曾　統轄湖南湘軍總營務局」。爲招牌一事，王鑫思考了一上午，最後定下這十七個字。他認爲堂堂皇皇，很有氣派，心中甚是得意，正期待著曾國藩的誇獎，只見曾國藩兩道掃帚眉慢慢鎖緊，說了句「璞山跟我進來」，便徑直向祠堂裏面走去。王鑫心頭一涼，跟著進了屋。待王鑫進門後，曾國藩板著面孔說：「璞山，這麼大的一件事，你如何不問我便自作主張，你知道犯了大錯嗎？」

王鑫不到三十歲，心高才大，常謂一息尚存，即當以天下萬世爲念，雖連個秀才都未撈到，卻儼然以主宰浮沉的人物自居。他這種氣魄很得羅澤南的賞識。在羅澤南看來，王鑫是他衆多才氣橫溢的弟子中的第一人，好比孔門七十二賢中的顏回。王鑫不認爲自己寫的招牌有什麼錯，不服氣地說：「卑職不知有何過錯。」

對王鑫的文武之才，曾國藩也很欣賞。他意識到剛才過於嚴厲了，便放鬆面皮，略爲和緩地說：「你先坐下吧！」

王鑫在曾國藩對面坐下來。曾國藩耐著性子細細地說：「璞山，你這個招牌氣派是夠氣派了，但有兩個大的差錯。欽命說的是幫辦團練，「幫辦」二字，定下了主從關係。巡撫駱大人是主，我是協助。你如何能偷樑換柱，擅自去掉「幫辦」二字呢？此其一。第二，我們辦的是團練，不是軍隊，怎能自稱湘軍？這不是在公告大衆，要在綠營之外另建軍隊嗎？羅山和你們在湘鄉練的勇，人家也只稱湘勇。今後，我們這批團丁可自稱湘勇，一來湖南簡稱湘，二來也可紀念湘鄉練勇的開創之功。但決不能自稱湘軍。璞山，你有沒有想過，這一去『幫辦』，改『勇』爲『軍』，將會授人以柄啊！」

王鑫是個聰明人，經曾國藩一提醒，立即認識到問題的嚴重性，趕緊說：「卑職一時考慮不周，我這就叫人撕下。」

王鑫剛要出門，曾國藩又叫住他：「璞山，你的顏字越寫越好了，木牌要好幾天才能製成，還得借你的大筆再寫一幅先貼著。」

「寫幾個什麼字？」

「還寫原來的老招牌：湖南審案局。」

離開長沙前夕，駱秉章在曲園酒家大擺筵席，爲曾國藩及團練全體哨長以上的頭目餞行。徐有壬、陶恩培、左宗棠和糧道、鹽道等官員都出席作陪，鮑起豹和清德却拒絕參加。久遊宦海的曾國藩十分清楚駱秉章等人的世故，但他不想與駱秉章撕破臉，於是帶著衆頭目欣然出席。駱秉章心裏果然高興，二人併肩坐在一起暢談，如同一對親密無間的好朋友。

曾國藩深知借助駱秉章的重要，把招牌一事處理好後，便立即給駱秉章寫了一封信，向他報告團丁安置的情況，歡迎他隨時來衡州視察。接著，曾國藩又給郭嵩燾、劉蓉各寫一信，邀請他們來衡州共舉大事。又寫了一封信給黔陽教諭、平江舉人李元度。李元度字次青，曾和曾國藩在岳麓書院同窗。曾國藩欣賞李元度的才思敏捷，也請他來衡州幫辦文書。又寫了一信給正在桂陽州原籍守制的陳士杰。道光二十八年，陳士杰以拔貢上京考小京官，朝考時，閱卷大臣正是曾國藩。曾國藩見他的策論議論風發，言之有物，欣喜地錄取了他。從那以後，陳士杰視曾國藩爲恩師。

寫完這幾封信後，曾國藩感覺疲勞。他在床上躺了一下，却不能合眼。一個更大的計劃，需要他盡快拿定主意。這就是今後如何訓練這批湘勇。他在心裏盤算著：自己之所以出山，目的是做李泌、郭子儀的事業，要如此，必須有一支强兵勁旅，這支人馬雖不能叫軍隊，而只能稱練勇，但實際上要比八旗、綠營强得多。一千號人，無論如何少了。但若一旦擴勇，便會立即招致非議。目前有十個省辦起了團練，其他九省都沒有湖南這樣的大團，幫辦團練大臣所直接掌握的團丁，都不過二、三百人。湖南已有一千餘人了，還要擴大，朝廷會不會同意？這是一。第二，餉銀從何而來？自從洪楊事起，朝廷的經費便日感不支。這是曾國藩所深知的。要朝廷撥錢，希望渺茫；要駱秉章、徐有壬撥款嗎？也不能指望。曾國藩躺在床上，被這兩大難題困擾著，思前想後，找不到解決的辦法。

荊七推門進來，對曾國藩說：「大人，剛才陸知府派人送來一封急信。」

曾國藩坐起，從荊七手中接過信。原來，這信是新擢升爲湖北按察使、正帶兵在江西前線與太平軍西征軍作戰的江忠源寄來的。江忠源信上說：長毛勢力强大，能征慣戰，打仗不怕死，又會收買人心，很難對付。請曾國藩在長沙多募幾千人馬，練成精兵，早日開赴江西，補充他的楚勇。看完這封信後，曾國藩想到了一個好主意。

曾國藩興沖沖地給江忠源回信，告訴他已來到衡州練勇，請他向皇上奏明，委託湖南幫辦團練大臣在衡州招募五千勇丁，訓練成軍，交他指揮。「只要朝廷明文同意擴勇，餉銀的著落再想辦法。」曾國藩心想，「至於交不交江忠源去指揮，那還不是憑我一句話。我不給他，諒他也不好意思來硬要。」

不久，郭嵩燾、劉蓉、陳士杰都先後來到衡州，曾國藩很是高興，他認爲自己給這幾個地位不高却才能罕見的朋友，找到了一個可以施展平生抱負的舞台。郭嵩燾告訴曾國藩，他在湘陰募集了一批軍餉，過幾個月便可湊齊二十萬。李元度也應邀來了。這個戴著深度近視眼鏡、個頭瘦小的文人還帶來五百平江勇，一來便對曾國藩說，要棄文就武，當營官帶兵打仗。曾國藩很欣賞他的這分勇氣。趁著大批勇丁尚未到齊的空隙，曾國藩和羅澤南、王鑫、郭嵩燾、劉蓉、陳士杰、李元度等人天天商討練勇之事。大家參照戚繼光的束伍成法，結合目前的實際情況，制定詳細的軍事條例。曾國藩又寫信給駱秉章，向撫標中軍借調塔齊布、楊載福、周鳳山三人。駱秉章同意了。不久，三人也一同來到衡州。曾國藩見文武人才濟濟，氣象興旺，心中甚爲興奮。一個月後，李續賓、曾國葆、金松齡從湘鄉募來二千五百勇丁，鄒壽璋、儲枚躬、江忠濟從靖州、辰州、新寧、寶慶等地募來一千勇丁，連同過去的一千人和李元度的五百平江勇，合共五千餘人。曾國藩將這五千餘人分爲十營，委任塔齊布、羅澤南、王鑫等人爲營官。爲使官勇們能一心一意地操練，曾國藩決定發厚餉。

在朝廷未撥下餉銀之前，曾國藩與衡州知府陸傳應商議，先把修城牆的十萬銀子挪過來用。銀子兌了現，官勇們操練都有勁。曾國藩制定了嚴格的營規：每天五更三點放炮，聞炮即起，夜晚每營派十人巡邏；黎明演早操，營官、哨官必須親自到場；午刻點名一次；日斜時演晚操，二更前點名一次。每逢三、六、九日午前，曾國藩本人親到演武坪監督操練，並訓話。從早到晚，每天演武坪塵土飛揚，殺聲不絕，衡州城裏的百姓都奇怪，這是哪來的一支人馬，操練如此認眞、勤勉？年長的記得，這塊荒蕪的演武坪，已經幾十年沒有吃糧的人在上面操演了。

二　忍痛殺了金松齡

經過嚴格的訓練，兩個月後，這支大部分都是新募勇丁的部隊，陣法整齊、技藝也較熟稔，曾國藩頗爲滿意。

這天，一封緊急文書由長沙巡撫衙門遞到衡州桑園街趙家祠堂。文書中說，長毛夏官副丞相賴漢英、殿右八指揮林啓容、殿右十二指揮白揮懷統率十二萬人馬，從金陵出發，溯江攻陷湖口入江西，包圍了江西省垣南昌。九江鎮總兵馬濟美被殺，豐城、瑞州、饒州、樂平、景德鎮、浮梁、泰和相繼失陷，局勢十分危急。已被任命為安徽巡撫，但還在江西與長毛作戰的江忠源和江西巡撫張芾向湖南求援。駱秉章因此請曾國藩撥兩營勇丁前往江西應援。

「岷樵是向駱中丞求援的，爲何不叫鮑提督派兵去呢？發節禮，擺酒宴，沒有想到我們，到江西送死倒想起我們了。」王鑫不是不願意打仗，他心裏早就想把部隊拉出去，和長毛較量較量了。這樣說，只是爲出一口怨氣。

「曾大人，雖說這幾個月的訓練，勇丁們的陣法和技藝都大有長進，但畢竟放下鋤頭拿起刀矛的時間還不長。聽說長毛賴漢英是洪秀全的妻弟，最爲凶狠善戰，勇丁們不是他的對手。此番還是以不去爲好。」塔齊布久於行伍，經驗豐富，勇丁的弱點看得清楚。

王鑫鬧的是意氣，塔齊布才是持重之言，但曾國藩考慮再三，還是決定派兩個營去試試。以前打過幾次仗，對手都是小股土匪、會黨，從來沒有跟眞正的長毛交過手，書生究竟可否殺敵立功，還沒有把握。於是，羅澤南的澤字營和金松齡的齡字營奉命開赴江西。

幾天後，江西前線傳來捷報：澤字齡字二營，不足千人，殺敗長毛數千，收復安福，解長安之圍。初試告捷，使曾國藩大爲高興。「書生可用！」他對這支人馬充滿了信心。

但不久，前線傳來凶訊：澤字營在南昌附近中長毛埋伏，大敗。哨官哨長易良幹、謝邦翰、羅信東、羅鎭南陣亡。一連幾夜，曾國藩都被這凶訊攪得不能安睡。牛皮癬又發了。

因收復安福之功，被張芾保舉爲直隸州知州的羅澤南，在班師回衡州途中，心頭十分沉重。這個理學信徒，一生以王陽明爲榜樣，要求自己立聖賢之德、建不世之功。但第一次與長毛較量，便丟掉二十多個兄弟的性命，這中間包括他的四個優秀的弟子。最爲傷心的是，羅鎭南是自己未出五服的族弟，回湘鄉後，如何向八叔交待呢？爲著減少自己的罪過，他盡量把陣亡勇丁的屍首都找回來，用棺木裝好，準備派人送回湘鄉安葬。他恨自己畢竟實戰經驗少，輕易地便中了埋伏，也恨金松齡在最危急的時候，見死不救。不然，損失也不至於這樣慘重。

那天黃昏，澤字營和齡字營滿懷著收復安福後的勝利心情，應江忠源之請，來到南昌城西南郊。只見永和門外帳篷林立，旌旗蔽空，太平軍約有一萬人馬駐紮在這裏，把個永和門圍得水泄不通。當中一座大營，營門前一根巨大的旗杆上，綉著斗大一個「林」字的杏黃鑲黑邊蜈蚣旗在迎風招展。在離永和門十里外，羅澤南和金松齡紮下營盤。

羅澤南求勝心切，帳篷一紮好，便邀來金松齡商議。他記得各種兵書上都講偸營劫寨，是速戰速決的好辦法，便向金松齡提出當夜劫營的計策。金松齡跟隨江忠源打過兩年多的仗，知道太平軍的厲害。他對羅澤南說：「劫營固然好，但我軍來到此地，估計長毛已經知道，鳥飛尚有影子，何況一千多號人馬？倘若他們已作好準備，反而弄巧成拙。」

羅澤南說：「今夜二更，我率澤字營去偷襲大營，即使不勝，也可挫傷他們的銳氣。齡字營跟在我後面，勝則乘勢追擊，敗則抵死相救。」

金松齡自知無論聲望、地位以及與曾國藩的關係，都不能與羅澤南相比，只得勉強答應。

這夜，兩營勇丁都沒睡覺。二更時分，羅澤南派出的偵探回來，說長毛都已睡著，站崗巡邏的也沒幾個。羅澤南大喜，親自帶領澤字營走在前面，金松齡帶著齡字營隨後跟著。一直到太平軍營盤前，四周漆黑，沒有一絲動靜。羅澤南下令直衝大營。令剛下，前哨一片騷亂。原來踩著陷阱了，十幾個勇丁掉了下去。正在這時，只聽得一聲炮響，四周燈火通明，一個年約二十八、九的太平軍將領橫刀立馬出現在眼前，對著驚懵了的勇丁們哈哈大笑：「林爺爺已在此等候多時！」這青年將領便是威震江西的太平軍殿右八指揮林啓容。林啓容年紀雖輕，却已是太平軍中一位百戰功高的大將。太平軍的營盤四周都挖了陷阱，不是自己人不能識別。這是太平軍安營紮寨的規矩，羅澤南並不知道。羅澤南從駐地啓行的時候，早有探子告訴林啓容。當下一場混戰，澤字營丟下了二十多具屍體。齡字營見勢不妙，後哨變前哨，撤離了戰場。正當林啓容指揮人馬將要全殲澤字營時，永和門內江忠源的部隊聞訊衝出城外，羅澤南才帶著敗兵狼狽衝出包圍圈。

當羅澤南將這場戰鬥的經過報告曾國藩後，引起曾國藩的深深憂慮。羅澤南的失敗並不可怕，可怕的是金松齡的敗不相救。綠營在廣西戰場上與長毛作戰，失敗的主要原因就在此。倘若不對此事嚴加處罰，今後湘勇就會步綠營的後塵，後果不堪設想。羅澤南劫營失之輕率，然其勇氣可嘉。書生帶兵，最怕的就是缺乏勇氣，羅澤南的這種勇氣不可挫傷；儘管金松齡不贊同羅澤南的輕率冒進，但他終究答應了共同行事，即使不答應，也不能見死不救。金松齡罪不可赦。

曾國藩決定將此次澤字營、齡字營江西之行的獎罰大肆渲染一番。

這是一個晴朗的秋日。從北邊飛來的大雁，在演武坪的上空結隊飛過，有時還傳下一兩聲清唳的鳴叫，使人想起「雁陣驚寒，聲斷衡陽之浦」的名句。千百年來，人們都相信北雁南飛，繞衡州回雁峯飛行三周後，便折轉返回的傳說，其實大雁北來，越過回雁峯，還會繼續南行，直到找到它們認爲滿意的地方，才會成羣落下過冬。

演武坪上，五千湘勇按營、哨、隊，面對著指揮台整齊地排列著。曾國藩騎馬來到演武坪，後面跟著的是塔齊布、羅澤南等十營營官。下馬後，曾國藩徑直走上指揮台，幾個親兵執刀跟隨，各營營官則走到本營隊列前。今天指揮台上作了一些簡單佈置。台上正中的旗杆上飄拂著一面明黃長條旗，上面用黑絲線綉著一個碩大的「曾」字。兩邊各插著五面不同顏色的長條旗，比中間那面旗略小一點，旗上方分別綉著「塔」、「羅」、「王」、「李」等各營官的姓。台前方擺一張長桌，用一塊白布罩著。台左右兩邊擺了幾條長凳。曾國藩站在長桌後面，長凳全部空著。按照三、六、九曾國藩訓話的規矩，訓話開始前，各營官跑步到曾國藩面前稟報實到人數、缺席人數及原因。當十個營官都稟報完畢後，曾國藩清了清喉嚨，大聲說：「弟兄們！」演武坪上五千湘勇一律腰板挺直，脚跟靠攏，發出一陣沉重的響聲。「弟兄們，這次澤字營和齡字營出省與長毛作戰，是湘勇創建以來第一次與眞長毛交手。這次旗開得勝，一舉收復安福，值得大大慶賀。這證明我們這支由書生和農夫組建起來的隊伍是能夠打仗的。弟兄們，我今天要在這裏重重獎賞澤字、齡字二營。營官羅澤南、金松齡各賞銀五十兩，各營哨官賞銀二十兩、哨長賞銀十五兩，什長賞銀十兩，每個弟兄賞銀五兩。」

底下開始出現騷動，隊伍中有嘰嘰喳喳的聲響，隱隱聽得出輕聲的議論：「眞走運，到江西走一趟，就得了這多賞銀。」眼紅了吧！莫著急，有你發洋財的時候。

曾國藩接著說：「今後，我們要到湖北、江西、安徽、江蘇去和長毛打仗，只要大家不怕死，把仗打贏，本部堂每仗要大發賞銀。打了幾仗後，大家都會闊起來。」

曾國藩放眼看指揮台下的勇丁們，一個個臉上泛出興奮的光彩。他停了一下，換成另一番聲調：「但不幸的是，我們在南昌城外誤入長毛的埋伏圈，哨官哨長易艮幹、謝邦翰、羅信東、羅鎮南和另外二十二名弟兄以身殉國。我們爲英烈的忠魂三鞠躬。」

曾國藩帶頭脫下帽子，台下所有官丁一齊把帽子脫下。曾國藩在台上每鞠一躬，台下的人也跟著一鞠躬。三次鞠躬後，曾國藩接著說：「對這些爲國捐軀的英烈，將在他們的家鄉湘鄉縣建祠紀念，使他們的英名留芳百世，永爲後代子孫所懷念。」

這時，一個親兵走上指揮台，悄悄地告訴曾國藩：「金松齡已被看起來了。」曾國藩點點頭，他的湘鄉口音突然變得十分嚴厲起來，「弟兄們，我請各位都再想想，大家背井離鄉到衡州來投軍，究竟爲的什麼？」

說到這裏，曾國藩用威峻的目光掃了全場勇丁一眼，沒有人作聲。曾國藩今天的訓話，如同早春天氣，一時晴，一時陰，衆人都摸不著頭腦，只有默默地聽著他的下文。

「弟兄們，我看不外兩點，一爲保衞鄉里，二爲在戰場上建立軍功，升官發財，上替父母祖宗爭光，下爲妻子兒女謀福，也不枉變個男子漢，在世上走一遭。」

曾國藩對勇丁們講話，一慣是一副鄉下腔。他不用文皺皺的語言，也不講修身齊家治國平天下的大道理。剛才這幾句自問自答，又使氣氛略爲緩和，台下勇丁們大部分在點頭，有些人在小聲議論：「曾大人講的是實話。」、「是呀！不爲升官發財，我投什麼軍？說不定哪天腦袋就搬了家。」

「弟兄們！」曾國藩繼續說下去，「既然大家都爲這些個目標而來，那麼我們就要努力去實現這些目標。我們十營弟兄是一家人。過些日子，我們要全部到前線去和長毛打仗。鼓點一響，就要衝上前去，那就是你死我活的事。弟兄們，你們在家，看到自己的父母兄弟和別人打架，打輸了，會不會只在旁邊看，而不衝上前去幫忙呢？我看不會的。或許也有，那是不孝不悌的孽子，死後不能入祖塋的人。我們和長毛打仗，大家都是叔伯兄弟，長毛就是敵人。我們要團結一致去打長毛。綠營官兵爲什麼失敗？就在於他們勝則爭功，敗則不救。眼看著自家兄弟被長毛吃掉，爲保全實力，就不肯上前支援。弟兄們，這不但沒有軍紀，也沒有良心呀！」

說到這裏，曾國藩停了一下，他看到所有勇丁都在專心聽著，從眼神裏看得出是贊同的。

他知道自己的話起了作用。在衡州這幾個月，曾國藩的訓話比在長沙還要勤快，還要懇切。他給勇丁訓軍紀軍規，嚴戒嫖賭、遊冶、懶散、驕傲。曾國藩懂得恩威並重的道理。他認爲帶兵之法，用恩莫如仁，用威莫如禮。對待營中的官兵，他常以父兄的身分向他們不厭其煩地談爲人處世的道理，言詞誠懇。他常說十營勇丁是一個家庭，自己是一家之長，從來沒有哪個家長不希望自己的子弟人人學好，個個成才的。有時講到動情處，曾國藩能聲淚俱下，使官兵深受感動。

平時，曾國藩帶兵常用鼓勵、勸勉、宏獎等以仁體現恩的一套，今天，他決定要用以禮——軍紀，來體現威的一面。這時，曾國藩兩道掃帚眉一皺，三角眼中射出肅殺的冷光。台下的勇丁，看到曾國藩這副神態，如同驟然刮起一股西北風，渾身泛起鷄皮疙瘩，膽小的兩腿已發抖了。只聽見他威厲的聲音響起：「這次在江西作戰，就出現這樣無軍紀、沒良心的人。澤字營陷入長毛的埋伏，即將全軍覆沒，而約好了的齡字營，却不去救援，反而撤離戰場。大家說，我們這個家裏能容忍這樣不孝不悌、狠心狗肺的孽子嗎？我不責備齡字營的弟兄們，他們聽的是營官的命令。罪不可容的是他們的營官金松齡。」

曾國藩猛然提高嗓門，大喝一聲：「把金松齡押上來！」方才還在作發財夢的金松齡，被兩個親兵推到前台。金松齡面朝曾國藩跪下，說：「卑職沒有及時救援，卑職罪該萬死！」

曾國藩望著跪在脚下的金松齡，雖叩頭認罪，而神色並不緊張。曾國藩好一會沒作聲。只見他左手逐漸握攏、捏緊，忽然，猛地一下放開，喝道：「給我推下去斬了！」

這是湘勇建立以來，第一次斬自家兄弟，而且這首次開刀的竟是一個營官！台下五千勇丁和各級將官們一時全都嚇懵了。金松齡頓時臉色灰白，癱倒下去，好一陣才醒悟過來。他淚流滿面，連連磕頭：「曾大人饒命，念卑職是初犯，寬恕一次，卑職寧願挨一百軍棍。」

曾國藩漠然看著金松齡，一言不發，蠟黃的長面孔陰沉沉、冷冰冰的，如同一張將死老馬的臉。羅澤南慌忙出隊跑到台上，跪下，磕了一個頭：「曾大人，金松齡罪雖該死，但卑職當初跟他商議時，他並不贊同卑職的主意，情尚可原，且又是初犯，目前正是用人之際，懇求大人饒他一死。」

羅澤南第一次在曾國藩面前叫他「大人」，自稱「卑職」，使他心中一震。就憑著與羅澤南多年的深交而今日這樣匍匐求情的面子，應該可以饒恕金松齡的死罪。曾國藩稍一猶豫，立即定了定神。不行！今天可以饒恕金松齡，明天就可以饒恕別人。犯了罪的人，一經講情便饒恕，今後軍中還能殺人嗎？軍法還有威嚴嗎？倘若軍紀鬆弛，今後不能成事，自己辜負朝廷之罪，誰來饒恕？他又一次握緊左手，嚴厲地對羅澤南說：「軍中無戲言，既不同意，可以不答應；一經答應，豈可不踐諾？」

羅澤南訕訕地退到一邊。金松齡又叩頭道：「曾大人，卑職一死不足惜，但上有八十風燭殘年之老母，下有嗷嗷待哺之幼兒，望大人看在母老子幼的份上，網開一面，饒卑職一死，金氏先人定會含環結草以報。」

曾國藩臉上的肌肉一陣陣抽搐，左手捏得更緊，汗在手心裏流出，他咬了咬牙關說：「母老子幼，本可饒你一死，但五千湘勇之軍紀軍風，不能因你一命而廢弛，皇上之聖命，三湘父老之期望，不能容許我法外施恩。今日殺你，實出無奈。你從小讀聖賢書，帶勇以來，我又多次開導，應當明白一身與天下相比，孰重孰輕的道理。眼下長毛肆虐，生靈塗炭，我是要一支蕩平巨寇的勁旅，還是要一盤鬆鬆垮垮的散沙？母老子幼，你不必擔憂。」

曾國藩叫身邊的親兵拿來紙筆，寫了幾行字交給金松齡，說：「你看後交給一位信得過的人保存，放心上路吧！」

金松齡接過紙揮，只見上面寫著：

原湘勇營官金松齡因犯軍法處死，家中老母幼子無靠，每月由營務處寄銀十兩，直到老母去世

，兒子成人時止。咸豐三年十月二十一日曾國藩於衡州演武坪

金松齡知已無望，把這張紙揮雙手遞給羅澤南，求他保管並督促營務處。羅澤南接過紙條，抱著金松齡的雙肩，低頭不語，心裏萬分內疚。金松齡不待曾國藩再說話，便自己走下台去。五千湘勇看著這個場面，莫不又驚又懼。齡字營的勇丁們，更是個個臉變色、心發跳。站在台下大隊伍中的曾國葆，早就想出來為金松齡說情，但一直不敢出面。國葆深知大哥的脾氣，最厭惡在公開場合以私情干擾公務，也最怕別人說自己徇私。前幾個月，國葆回家招募了一千團丁，按理可當個營官。國葆自己也以為這個營官是當穩了，但曾國藩偏不給他當，他心裏氣不過。曾國藩把弟弟喚進內房，先是把正己才能正人、持身嚴才能軍令嚴的道理說了一遍，再又將這十個營官，一個個拿來跟國葆比，國葆也自認為不如他們，最後又給國葆講了觸龍說趙太后的故事，告訴弟弟無功而處高位並非好事的道理，這才把國葆說得消了氣。曾國葆一直期待著金松齡自己的辯護和羅澤南的說情，能使大哥回心轉意。看來一切都已無效，此時再不出面，金松齡就沒命了。曾國葆硬著頭皮，不顧一切地衝出隊列奔上台來，「噗通」一聲跪在大哥面前，喊道：「大哥！請你看在母親大人的面上饒金松齡一死。」

曾國藩吃了一驚，他不明白該殺的金松齡與自己死去的母親之間有什麼關係。

「大哥，八年前，母親大人一天突發心絞痛，抬到鎮上，已經暈死過去。虧得金大哥的父親金老太爺，以祖傳秘方竭力搶救，才回轉過氣來。金老太爺又將母親留在家裏，親自煎藥服侍，三日三夜不曾合眼，最後母親終於轉危爲安。母親很是感謝金老太爺的救命之恩，每年三節都叫我們兄弟親自送禮，以表酬謝。大哥，倘若沒有金老太爺的搶救，母親那年便已故去了。懇請大哥看在金老太爺救母親命的份上，寬恕金大哥這一次，給他一個帶罪立功的機會。大哥，小弟求你了！」

說罷，頭一個勁地在地上磕，滿臉都是淚水。台上台下官勇見此情景，無不惻然。

曾國藩聽了弟弟的哭訴，半晌作不得聲。一提起母親，他心裏就悲痛。早知金松齡的父親救過母親的命，曾國藩今天無論如何也不會這樣對待金松齡。這件事，國葆以前沒說過，金松齡自己也沒說過，曾國藩不覺對金松齡生出敬意來。但現在當著全體官勇的面，只因金松齡對自己有私恩便出爾反爾，饒他死罪，官勇將會怎樣議論自己呢？威信怎能樹立呢？軍紀又何能整肅呢？不能收回成命！母親已經死去，她老人家也不可能因此而責備自己了。爲了湘勇今後的戰鬥力，爲蕩平洪楊的大業，松齡老弟，委屈你了，我是不得已才借你的頭顱號令三軍的。幾十年後，到九泉之下，我再向你負荊請罪吧！經過一陣痛苦的思索，曾國藩釋然了。他陰冷地望著滿弟，嚴厲訓斥：「曾國葆，此地乃湘勇練兵場，非白楊坪黃金堂，只有上下尊卑之分，沒有兄弟骨肉之誼；只有軍紀軍法之嚴酷，沒有私恩舊德之溫情。你口口聲聲叫我大哥，哭哭啼啼訴說舊事，你是想要我以私恩壞朝廷法典嗎？還不給我下去！」

曾國葆被罵得不敢回言，只得低著頭走下台。金松齡徹底絕望了，閉著眼，任行刑團丁推著往前走。

最後，曾國藩又宣布：「羅澤南身爲營官，不能正確判斷敵情，輕率冒進，致使兵敗，本應嚴辦。姑念其敢以五百初次出征勇丁進搗一萬長毛之老營，其勇氣可貴可嘉。現革去營官職務，帶罪留營，以觀後效。」

演武坪一片死寂。全體湘勇官丁，今天才眞正領略到幫辦團練大臣的威嚴和軍法的凜然不可侵犯。

當晚，曾國藩在趙家祠堂召見金松齡的堂弟金龜齡。要他挑選二十名團丁，護送其兄靈柩回湘鄉。又從自己的積蓄中拿出四百兩銀子來，要金龜齡代他送給金松齡的母親，略表自己對金老太爺當年救母的酬謝。

三　從釣鈎子主想到辦水師

衡州因爲地處湘南，即使是冬天，只要太陽出來，就顯得溫暖如春。那條秀美的湘江，在冬日的陽光照耀下，益發顯得纖塵不染，一清到底，實在逗人喜愛，偶爾還可以看到幾個不怕冷的後生子在江中游泳！江面上除開來往的貨船、客船外，還有一種當地叫作釣鈎子的小船，小船上只能坐一個人。一年四季，哪怕是烟雨霏霏的時候，湘江上都佈滿了這種釣鈎子。漁翁們或站或坐在船上，把釣竿垂向水面，屏心靜氣，等著魚兒上鈎。冬日和暖的江面上，沒有風，水不急，釣鈎子穩穩當當，如同用釘子釘死在水中。頭上鷹擊長空，脚下魚游淺底，簡直令人心曠神怡。這種南國冬釣的情景，與柳宗元筆下的「千山鳥飛絕，萬徑人踪滅，孤舟蓑笠翁，獨釣寒江雪」的北方風味大異其趣。到了日落西山的時候，漁翁們上得岸來，一手提著滿滿一桶魚，另一隻手扶著反扣在肩膀上的釣鈎子，笑微微地回家去。那情景，正是「高歌一曲斜陽晚」的典型寫照。

曾國藩十多歲時，在石鼓書院從汪覺庵先生讀過兩年書，早早晚晚在湘江邊散步，看著江上星星點點的釣鈎子和站在其上的漁翁，覺得他們眞是世界上無憂無慮最快活的人，常常不自覺地吟起《三國演義》開卷那首無名氏的《臨江仙》：「滾滾長江東逝水，浪花淘盡英雄。是非成敗轉頭空，青山依舊在，幾度夕陽紅。白髮漁樵江渚上，慣看秋月春風。一壺濁酒喜相逢，古今多少事，都付笑談中。」這個時候，攻讀四書五經的煩躁厭倦之情，便會一時淡化，功名莫測的憂慮苦惱，也會得到片刻安慰：當麼子大官，建麼子功業，「是非成敗轉頭空」，還是當個漁翁幸福！

自到衡州治軍來，曾國藩的腦中常常浮現出少年時代所羡艷的那種情景。多次想過，哪一天要抽空去當一天釣鈎子主。怎奈湘勇草創，百事叢雜，沒有一天空閒，且辦事不易，心情鬱悶，也缺少那分閒情。近一個月來，通過對澤字營、齡字營江西作戰的獎賞以及對金松齡的處置，湘勇的訓練效果大爲提高，軍紀也更加整肅，塔齊布、周鳳山、楊載福等人常說：「湘勇可用。」曾國藩近來心情略爲舒暢些了。今天是一個艷陽普照的好天氣，吃早飯時，他突然萌發了駕舟浮釣的念頭。想起兵勇們到衡州四個月了，還從來沒有放過假，索性今天放假一天。命令下達後，大家都很高興。

曾國藩帶了滿弟國葆，兩個親兵扛著兩只釣鈎子跟著，沿著蒸水走到石鼓嘴下，親兵把釣鈎子放到水中。曾國藩打算釣完魚後，再上石鼓嘴去看看石鼓書院，盡管汪覺庵師已離開書院回到鄉下去了，但石鼓嘴上的一草一木仍然牽動他的情絲。

曾國藩饒有興致地將釣鈎子划到江中，國葆也划著一只跟著他，兩個親兵在岸上等候。釣鈎子上的漁翁看著逍遙自在，眞正當起來却不那麼容易。船並不聽曾國藩的使喚，左右搖擺，弄得他常常站不穩，有幾次晃動得大，連裝魚的桶都打翻了。國葆的處境，也不比哥哥強多少。曾國藩坐在船上，心猿意馬，不能安寧。一時想起過去在江畔的吟遊，一時又想起在刑部時的審理案件，一時又想起好久沒有去看岳父了。還有汪師，已二十五、六年未見面，怕是早已白髮皤然了吧！一時又想起，對金松齡太殘酷了，其實不殺也可以。一個時辰過去了，他的心思很少平靜過，釣鈎子也一直在晃動，魚兒也很少有上鈎的。他看看船頭上那只小木桶，除幾條瘦瘦的浮油子在竄來竄去外，仍是一桶清水。他嘆了一口氣，今生今世大概當不成一個像樣的漁翁了。

正在這時，一艘大貨船鼓帆順流北下，船主並不知道這條小小的釣鈎子上，居然坐著一位團練大臣，船過之時，激起的水波差點將曾國藩掀到水中。就在這個劇烈的顚簸當兒，他猛然想起，長毛憑著強大的戰船，在千里長江上稱王稱霸，今後要與長毛作戰，水師一定不能少，當不了漁翁，却可以當水師統領。是的，要趁著衡州有湘江、蒸水兩條河流的有利條件，將湘勇的水師建立起來。水陸二軍，齊頭併進，那才是眞正威風凜凜的曾家軍。想到這裏，曾國藩十分興奮。

「曾大人！」呼聲從岸上傳來，打斷了他的遐想。他回頭一望，岸上的親兵正對他打手勢，示意他把船划到岸邊來。

原來是歐陽凝祉先生前來桑園看他，羅澤南打發人來喊。曾國藩釣漁翁的興趣已過，就是沒有人來喊，他也準備上岸了，許多事急於要處理，漁翁不可久當。

曾國藩和國葆匆匆回到趙家祠堂，歐陽老人笑吟吟地迎上前：「滌生，你看誰來了？」

話音剛落，從裏屋走出一個矮矮胖胖的老頭子，笑容滿面地說：「伯涵，還認得我嗎？」

「呵喲喲，恩師駕到，國藩有失遠迎。」原來這胖老頭正是剛才在釣鈎子上想起的汪覺庵，他仍用過去的表字稱呼自己的得意門生。

「一別二十多年了，你老身體還這樣硬朗，可喜！可喜！」

「不行啦，這幾年常鬧毛病。」汪覺庵拉著曾國藩的雙手，異常親熱地上下打量，「胖多了，也威武多了，到底當了大官，與過去的窮書生完全不同了。」

曾國藩把覺庵師和岳父讓進書房，親手恭恭敬敬地給兩位老人獻上茶，望著覺庵師說：「岳父講，你老離開石鼓書院，回鄉下老家已有七、八年了。國藩一直想抽空到長樂去看望你老，總找不到空。到衡州四個多月了，沒有一天清閒，今天我是下了很大的決心，丟開一切事，去過一過幾十年來想當個釣鈎子主的癮。」

覺庵哈哈一笑：「偷得浮生半日閑。不容易，不容易呀！」

「不瞞你老說，剛才在石鼓嘴邊垂釣，我又想起你老當年執鞭教誨的情景，恨不得明天就到長樂去看望你老。」對眼前這位青少年時代的恩師，曾國藩有著眞摯的深情。

「老朽蟄居山鄉，路途遙遠，豈敢勞賢契枉駕。你今日的擔子很重，有賢契剛才這句話，老朽心中已倍感欣慰。」

「恩師說哪裏話來。當年你老朝夕相教的重恩，國藩至今未報，思想起來，常覺慚愧。沒有恩師，哪有國藩今日。」

歐陽老人也說：「到長樂去看看老師，是應該的。我原擬明年春暖花開時候，和滌生一起到長樂來看你呢！」

「那就益發不敢當了。」汪覺庵高興得開懷大笑。

「恩師一向不大到城裏來，這次進城，有何貴幹？」曾國藩問。

「我原不知在城裏練兵的統帥就是你。」

「這是自然的。當年那個文弱單薄的書生，怎麼也不可能與刀槍兵馬連在一起。莫說你老，就是我在一年前也沒有想到過。」歐陽老人插話。

「話要說回來，」覺庵望了一眼歐陽凝祉後，又轉向曾國藩，說，「自古以來，當統帥的也有不少書生出身的。遠的如孔明，近的如鄭成功，都是羽扇綸巾之輩。我以前的確不知是你，若是知道，我早就會來看望了。我教了一輩子書，出息了你這個人才，心裏有多高興呀！這次是親家六十大壽，三番五次邀請，才在初五進了城。昨天去看望老朋友——你的泰山，才知道賢契是今日的李鄴侯、王文成了。」

「學生豈能與李泌、王陽明相比。請問恩師，你老的親家是誰？」曾國藩笑道。

覺庵未開口，凝祉忙說：「汪師的親家，可是個大名鼎鼎的人物，他是船山先生的六世孫王世全先生。」

「就是與新化鄧湘皐一起合刻船山遺稿的王世全？」

「正是的。」

曾國藩笑道：「恩師與大儒結上親戚，應當祝賀。」

「前年滿女嫁給了世全的老四。這孩子酷愛詩書，有乃祖遺風。」

「聽說王家世代建有船山先生的紀念室，過去在石鼓書院讀書時，竟未一至，實在遺憾。」

「既然想去，我看今天最巧，下午我們一道到王衙坪去拜訪汪師的親家如何？」

「正好。」曾國藩說：「下午我就陪二位老人一起去瞻仰船山先生的故居，以償宿願。」

覺庵滿心高興：「伯涵肯去，這可給世全家增色添輝了。」

國葆聽說下午要去王家，立即叫一位親兵先去通知王世全。

吃過午飯後，曾國藩陪著汪師和岳丈前往城南王衙坪。聽說去拜訪船山公的後裔，湘勇中書生出身的營官哨官個個興致濃厚，大家都想隨著去。曾國藩怕去的人多，王家招待不起，制止了他們，只帶羅澤南和國葆同行。

四　接受船山後裔贈送的寶劍

出南門外不遠便是王衙坪。它座落在回雁峯脚下。這一帶丘陵起伏，林木繁茂，風景很好。在併排擺著的四口大魚塘旁邊，有一棟年代久遠的青磚瓦房。汪師告訴曾國藩：「船山故居到了。」

門口，王世全帶著四個兒子早已恭候著。王世全說：「曾部堂光臨寒舍，世全父子蒙幸匪淺。」

曾國藩答道：「大儒賢裔，國藩景仰已久，今日陪同恩師前來一償舊願。」

世全陪著曾國藩一行進了大門。曾國藩見大門楹柱上刻著一副筆勢老邁蒼勁的對聯：「武功開一朝國運，文教啓百代羣蒙。」在客廳坐下後，王家很客氣地敬獻香茶，又端來滿桌各式茶點。世全殷勤相勸：「寒舍無佳物招待，請大人和各位貴客賞光。」

曾國藩說：「聽恩師說，先生正逢六十花甲大慶，國藩略備薄禮，願先生康健長壽。」國葆遞上臨出門時準備的，上面繞著一條紅紙的一百兩封銀。慌得世全忙說：「大人請快收回。世全一介寒士，今日與大人初次見面，如何擔當得起！」又轉過臉對覺庵請求，「親家，你幫我說說。」

覺庵說：「伯涵，你如何這樣客氣，弄得老朽都不好意思。」

曾國藩說：「今日送這點薄禮，有三層用意：一爲慶賀世全先生六十大壽，二來爲祝賀王汪兩家聯姻。二十多年來，我未曾給恩師寄過分文，妹子出嫁，豈可不送點嫁妝？三則略表我對船山公的一點敬意。」

世全、覺庵見他說得如此懇切，只得收下。

吃了一會茶後，曾國藩對世全說：「令先祖學問，近世罕有。國藩當年從汪師求學，便嚮往船山公的特立卓行。先生克紹箕裘，遠承祖業，近年又刊刻令先祖不少遺著，佳惠士林，功德不淺。」

世全欠身答道：「把家先祖所遺舊作刊刻出來，是王氏世代夙願，也是世全的本分。只是世全學力和財力都不足，多年來心願未遂。道光十九年，仰仗新化鄧湘皋先生碩學大才，湘潭歐陽小岑先生又慷慨資助五千餘金，家先祖經學方面的十多種著作才得以梓行。」

「據傳令先祖晚年生活貧困，仍讀書寫作不輟，實爲讀書人萬代楷模。」

「家先祖一生清貧，晚年隱居曲蘭湘西草堂讀書著述，甚爲困苦。說來寒傖，家先祖當時竟無錢買紙，把別人不要的陳年帳本翻過來裝訂成冊，時有領悟，便記在這些冊子上。臨終時，寫滿字的冊子，滿滿堆了一屋。但生前一卷都無力付梓。」

曾國藩問：「道光十九年前，船山公的書刻印過哪些？」

世全說：「家先祖去世不久，其四子王敔以湘西草堂藏本爲據，在衡州刊刻十餘種，總題爲《王船山先生書集》，當時印得不多。後來惠江書局又刻了幾種，印得更少。」

「道光十九年的版片印了多少？」曾國藩問。

世全答：「當時一種也只刷印了兩三百部，版片存歐陽小岑家，擬日後再印一點。前些日子，小岑先生來信，說此版已毀於兵火之中。」

「可惜！」客廳裏所有人都同時發出一聲嘆息。

曾國藩說：「我於船山公之書所讀不多。在京時，蒙小岑贈送《禮記章句》四十九卷，諸經稗疏考證十四卷，對先生的學問文章欽佩不已。昔孔子好語求仁而雅言執禮，孟子亦仁義併稱。聖王所以平物我之情而息天下之爭，內之莫大於仁，外之莫急於禮。先生注《禮記》數十萬言，幽以究民物之同原，顯以綱維萬事，弭世亂於無形，功德大矣。」

歐陽老人說：「滌生所論甚是。前明之末，我朝開基之初，將黃南雷、顧亭林、王船山併稱爲三大儒。其實，南雷黨同伐異，器宇太狹窄，亭林爲學支零破碎，未成體系，唯船山公學問包羅萬象，情大精深，其人品更是高潔，非黃、顧所及。」

覺庵說：「船山公書中處處珍寶，只要留意，開卷可拾。且議論多發前人所未發，其精到細微，非世人可及。就拿對岳武穆的評價來說，後人都說武穆愚忠，爲他可惜。船山公慧眼獨具，說武穆正是不忠君，與高宗針鋒相對才遭殺害的。」

世全說：「家先祖認爲，武穆是要將抗金進行到底，而高宗趙構却要向金求和稱臣，因此高宗不能容武穆。」

覺庵說：「更駭人的是，船山先生公然認爲武穆滅掉金後，再來攻宋也是無可非議的。」

國葆說：「船山公言之有理，趙構昏庸，武穆取代有何不可！」

羅澤南也說：「此議痛快！」

曾國藩覺得這樣的議論不便多發，萬一傳到朝廷，多少有點礙事。他換了一個話題：「船山公現存有多少後人？」

「大約一百五十餘人。我是家先祖次子攽公之後。」世全答。

曾國藩點頭說：「先生典守船山公舊居，保存了祖宗珍貴遺物。近來世道乖亂，先生守之不易。」

「先祖舊業，世全不敢拋棄，守之雖不易，但也是後人應盡之責任。」

覺庵說：「親家，何不陪伯涵參觀一下船山公遺迹。」

曾國藩說：「正要瞻仰，煩世全先生帶路。」

世全把曾國藩一行領進左邊一間廂房。這裏陳列的多爲船山舊物。一進屋，迎面而來的是一幅船山公畫像。畫的是一個容貌清癯的老頭兒，臉特別長，細眉長眼，頭上包著黑布，黑布兩端拖下一尺餘長的尾巴，順著兩耳下來，擱在兩肩上。畫像上題著船山公寫的《鷓鴣天》一首：「把鏡相看認不來，問人云此是姜齋。龜於朽後隨人卜，夢未圓時莫泿猜。誰策仗，此形骸，閑愁輸汝兩眉開。鉛華未落君還在，我自從天乞活埋。」畫像兩邊貼著船山自撰的對聯：「六經責我開生面，七尺從天乞活埋。」世全介紹，這是船山公七十歲壽辰時，請人畫的一張像。曾國藩指著像上方「孝思恬品、霞燦松堅」八個篆字問：「這個八字是誰題的？」

世全答：「這是永歷帝賜贈家先祖的話，爲家先祖友人陳天台所書。家先祖的畫像，這裏還有一幅。」世全用手指著對面的牆壁。曾國藩等人轉過臉，看到對面牆上也懸掛著一幅船山公的畫像。像上的老人是一樣的，只是頭上不包布，而戴著一頂處士巾，也有船山自題的《念奴嬌》一首：「孤燈無奈，向頹牆破壁，爲余出醜。秋水蜻蜓無著處，全現敗荷衰柳，畫裏圈叉，圖中黑白，欲說原無口。只應笑我，杜鵑啼到春後。當日落魄蒼梧，雲暗天低，準擬藏衰朽。斷嶺斜陽枯樹底，更與行監坐守。勾撮指天，霜絲拂項，皂帽仍粘首。問首去日，有人還似君否？」

曾國藩問世全：「令先祖詩詞集中好像沒有收這首詞？」

世全回答：「的確沒收。什麼原因，現在已不得而知。想必是家先祖興之所致，率爾操觚，書以自嘲。過後又不以爲然，便不收進集中。」

曾國藩點點頭。

曾國藩與羅澤南、曾國葆都是首次來此，一一細看，室中收藏了三次所刻的部分書和大部分尚未刊刻的手稿。曾國藩將這些手稿也翻了翻。有個櫃子裏放著船山生前穿戴過的衣帽。最令曾國藩感興趣的是一把古紋斑爛的寶劍。劍鞘爲紫銅皮所製，周圍釘著密密的銀釘，五寸長的青銅劍柄，被手磨得亮閃光。曾國藩沒有想到王船山的遺物中還有這樣一把古劍，好奇地把它抽出一截，立刻見毫光四射。他脫口而出：「好劍！」便把抽出的部分重新插進劍鞘，又繼續觀看。過一會，他對身旁的羅澤南說：「待日後戰事平息下來，我輩集資刊刻船山公的全集，這是一件有大功於世的事業。」

羅澤南笑道：「那時滌生牽頭，澤南將全力協助。」

曾國藩說：「一言爲定。那時我牽頭可以，校勘就要靠你了。」

澤南說：「我願用十年時間來辦此事。」

國葆笑著說：「羅山師太聰明了，那其實是出錢請你讀十年書。」

三人都笑起來。王世全聽到他們三人的談話，又想到曾國藩稱讚櫃子裏的古劍，便悄悄把汪覺庵叫到一邊，說：「曾大人看來喜愛家先祖那把劍。常言道，寶劍贈壯士，紅粉貽佳人。曾大人正領兵殺敵，需要這種東西，我們留著無用，不如送給他。」

覺庵說：「那太好了，等會你就送給他吧！」

「只怕曾大人不收。」

「你是說他講客氣，不好意思？」

「不是。」

「那是什麼原因？」

「親家，你知道，家先祖是前明的臣子，生前一直不與國朝通往來。曾大人不會有忌諱嗎？」

覺庵沉思一下說：「過會兒我來說幾句話，他自然會收下。」

曾國藩的視線轉到西邊牆上，這裏是近世幾位名人題字。最前面高懸的是四個楷書字。「衡岳仰止」。字後有段跋語：「衡山王船山先生，國朝大儒也，經學而外，著述等身，不惟行宜介特，足立頑儒。新化鄧學博來金陵節署，言其後嗣謀梓遺書，喜賢者之後，克紹家聲，固體額以寄。道光十八年四月望總督兩江使者前翰林院編修安化後學陶澍敬題。」接下來還有陶澍聯一幅：「天下士非一鄉之士，人倫師亦百世之師。」曾國藩心裏暗暗叫好。再看下去是祁雋藻和許乃普所書的兩副聯語：「氣淩衡岳九千丈，心撫離騷廿五篇。」「痛哭西台，當年航海君臣，知己猶餘瞿相國，羈栖南岳，此後名山述作，同聲惟許顧亭林。」許乃普後是常大淳壬午遊湘西草堂而作的一首七律：「老屋三間丹堊新，先賢前此久栖身。嘆嗟今日風光換，想見當年著述頻。甲子自書陶靖節，庚寅誰吊楚靈均。我來無限榛薈慕，欲向船山荐藻蘋。」看著常大淳的墨迹，想到他已作古了，曾國藩心裏不免有些傷感。常大淳之後，尚有一些詩詞聯語，也有寫得好的，也有平平的。忽然，一種熟悉的字迹跳進眼帘。原來又是一幅聯語：「自抱孤忠悲越石，羣推正學接橫渠。」聯語後端端正正寫著一行字：「而農先生幾筵，不能窺之萬一。謹節錄先生自銘語以爲獻。道光壬寅六月既望長沙後學唐鑒敬題併書。」鏡海先生都有字掛在這兒，自己却今日才第一次來，相比前輩敬賢之心，曾國藩感到慚愧。

王世全走過來說：「承蒙前輩賢良關注，惠賜翰墨，使陋室生輝。今日大人光臨，幸會難再，世全已備下筆墨紙硯，請大人及各位貴賓賞賜詩聯，王氏族人感激不盡。」

「國藩才疏學淺，前賢墨寶之後，豈容我輩插足？日後世人將以狗尾視之，則自貽羞辱矣。」

曾國藩謙讓不肯，王世全執意懇求。曾國藩本喜題詩作對，平日等閑之處，都願題聯留念，今日來到一代儒宗故居，怎會不願留下墨迹呢？剛才推讓，一是出自禮儀上的謙遜，二是正因爲此地非比尋常，而自己還沒考慮成熟，爲愼重起見，不題也好。現在見世全態度誠摯，便思考一番，在書案上寫下一聯：「箋疏訓詁，六經於易尤尊，闡羲文周孔之遺，漢宋諸儒齊退聽；節義詞章，終身以道爲準，繼濂洛關閩而後，元明兩代一先生。」寫完後連聲說：「見笑，見笑。」衆人見曾國藩對船山學問評價甚高，又見其字剛勁挺拔，嚴謹流暢，齊聲稱讚。曾國藩又在左下方以小字落款：「咸豐三年十一月欽命幫辦團練大臣前禮部右堂曾國藩敬題。」

世全又請羅澤南題。澤南一再遜謝：「我素來才思遲鈍，倉促之間無好句，免了吧！」

曾國藩說：「羅山莫推辭了，你再推辭，就顯得我不自量了。」

世全知羅澤南是湘中一帶極有影響的學者，如何肯錯過這個機會，一再請求。澤南拗不過，只得也寫了一聯：「忠希越石，學紹橫渠，在當年立說著書，早定千秋事業；身隱山林，名傳史乘，到今日徵文考獻，久推百世儒宗。」也落款：「咸豐三年十一月保升直隸州知州湘鄉縣訓導羅澤南謹識。」大家一致稱讚。世全又要國葆題。國葆感到爲難，他望著大哥，不知該題不該題。曾國藩懂得他的意思，說：「你素日崇敬船山公，今日瞻仰先生故居，也題一聯，表表心意吧！」

得到大哥的鼓勵，國葆認眞思索之後，也題下一聯：「湘水衡雲留正氣，楚辭孤竹證同心。」家人進來，說晚餐已備好，世全請曾國藩一行、覺庵師和歐陽老人一道入席。

酒席宴上，世全頻頻敬酒，覺庵也以主人身分不斷勸菜，賓主甚是歡悅。覺庵想起世全要以寶劍相贈的事，爲消除曾國藩的顧慮，他把話題引到王船山對朝廷的態度上。覺庵有意隱去了船山對清朝敵視的一面，却大談他對朝廷的依順：「人們說船山公是明之遺臣，不與國朝合作，其實此說不全面。先生的確忠於明朝，但對我大淸也是擁戴的。」

「眞的嗎？」國葆插話。

「這有事實爲證。」汪覺庵接著說，「康熙十六年，吳三桂慕船山大名，重金請先生爲他撰《勸進表》，先生嚴辭拒絕，說我怎能作此天不蓋、地不載之語耶？在大是大非面前，可見先生的志向。」

曾國藩點頭，表示同意汪師的觀點。世全深知覺庵用意，立即接過話頭：「正因爲家先祖不與吳三桂同流合汚，所以康熙帝景仰家先祖品藻氣節。康熙十八年，湖南巡撫鄭端遵循朝廷旨意，命衡州知府崔鳴鷟饋贈米銀。康熙四十二年，受湖廣學政潘宗洛之請，才有虎止公刋刻遺書的事。康熙四十六年，朝廷批准將船山公入祀鄉賢祠。乾隆三十九年將《周易》、《書經》、《詩經》、《春秋》四種《稗疏》列入四庫全書，並命國史館爲家先祖立傳。」

曾國藩說：「我朝歷代聖主，對船山先生之恩都有加無已。」

世全又說：「幸而長毛未進衡州，以其對待孔孟之態度，家先祖亦將蒙辱。王脩坪之所以有今日之平靜，實賴大人及各位先生捍衞鄉邑、力戰長毛之功。家先祖九泉有知，定會感激莫名。」

曾國藩遜謝一番，說：「適才進門之際，見府上楹聯書『武功開一朝國運』，看來先生祖上是以武功起家的。」

世全說：「大人明鑒。王氏祖上確是憑武功爲家族爭得了一席地位。」

澤南說：「我輩孤陋，對令祖上所立軍功一事，一向不曾聽說。」

「我王氏一脈，出自太原，後遷到江蘇邘江。船山公這一支始祖仲一公，當年跟隨洪武帝起兵，後渡江攻克金陵有功，封山東青州左衞正千戶。洪武二十二年，進階武德將軍、驍騎尉。二世祖成公從明成祖南下有功，升衡州衞指揮僉事，晋同知，授階懷遠將軍、輕車都尉，遂定居衡州。相傳六世，紹紫垂榮，到七葉而武業中衰。此後則儒者輩出。」

「到船山公是第幾代了？」

「已是第十一代。適才所看到的那把舊劍，正是洪武帝賜給仲一公的，仲一公仗此劍隨洪武帝攻克金陵。曾大人，你老如今統率兵馬，正是用劍的時候。王家自武夷公以來，一直以文章名世。此劍再留在王家，只是一件古董，而不能發揮它的作用。自古寶劍贈壯士，若大人不嫌棄，世全願代表王氏家族將此劍送與大人。」

「這可使不得！此劍乃王家祖傳之寶，國藩怎能奪人之愛？」曾國藩急忙辭謝。

「伯涵，既然世全一片眞心，你就收下吧！此劍曾立赫赫武功，又是當年攻克金陵的吉物。今日長毛占據金陵，世全送與你，此乃天意。將來光復金陵，一定非伯涵莫屬。」汪覺庵協助親家來勸。

曾國藩原先認爲王船山是個不同清朝合作的前明遺臣，今天聽王世全和汪覺庵說來，方知他也是本朝的貞士。更使他激動的是，這把劍有過攻克金陵的光榮經歷。難道收復金陵的蓋世功勛眞的要由自己來建立嗎？如眞的是天意，則不可違背。曾國藩想到這裏，站起來說：「既蒙世全先生錯愛，又是汪師之命，國藩只有接受了。」

世全命人拿出寶劍來，雙手恭送給國藩，說：「此劍有兩點異處。一是劍刃看來甚鈍，然削鐵砍玉，如同泥土。二是每到午夜之間，它要長鳴一聲。多少年來，都是如此。」

滿桌人都感到驚奇，曾國藩更是高興。汪覺庵說：「伯涵，老朽代王家求你一事。日後金陵攻克之際，天下安定之時，請你出面邀請海內名儒，校勘刻印船山公全集，旣使船山公一生宏願得以實現，又光揚我朝學術。依老朽迂見，此功或不在蕩平長毛之下。」

曾國藩側身答道：「弟子謹記吾師敎導。日後攻克金陵首功不在弟子則已，若天意授與弟子，弟子一定在金陵刻印船山公全部遺書。」

世全起身，深表感謝。大家繼續喝酒。歐陽老人說：「滌生今日喜得寶劍，老夫也高興。老夫十分喜愛舊日讀過的一首古劍銘，現把這首古劍銘送給你如何？」

「謝謝岳父大人。」曾國藩恭敬地回答。

「這首古劍銘是這樣寫的。」凝祉一字一頓地念道，「輕用其芒，動即有傷，是爲凶器；深藏若拙，臨機取決，是爲利器。」

曾國藩聽完這首古劍銘後，明白岳父的深遠用意，十分感激地站起來說：「國藩牢記在心。」

凝祉又對曾國藩說：「你來衡四個月了，聽人說無論巨細，事事躬親，晝夜操勞，毫無暇日。長此以往，將有損身體。秉鈺娘要我轉告你，還須隨時注意保重才是。今日上午你能忙裏偸閑，垂釣江上，我很高興。自古以來，幹大事有成就的人，都會忙裏偸閑。一張一弛，文武之道嘛！」

聽岳父提起上午的垂釣，他忽然想到創辦水師之事，汪師、岳父和世全先生都是博學鴻儒，何不與他們商量一下？

「岳母大人的關懷，國藩很是感激。國藩今日上午在江上學釣，想起長毛這次順利攻破武漢三鎮、安慶、九江，長趨江寧，近來又在江西肆虐，靠的全是水師。日後，我們與長毛交戰，不能沒有炮船，我想就在衡州建立水師。今日特地請教各位前輩，不知可行否？」

歐陽凝祉、汪覺庵、王世全一致認爲曾國藩此慮深遠，衡州地處蒸湘滙合處，熟悉水性的人極多，不愁練不出一支水師勁旅。末了，王世全說：「曾大人要辦水師，我倒想起一個人來，此人從小跟父親在安徽長大，家藏一部《公瑾水戰法》，多年來，對水師鑽研有素，乃是一個極有用的人才。」

「此人是誰？」曾國藩對王世全的推荐極感興趣。

「此人名叫彭玉麟，字雪琴，就是本縣渣江人。」

汪覺庵說：「正是。若不是親家提起，我竟忘記了。此人眞可稱得上衡州府一只玉麒麟。」

「彭玉麟現在何處？」

「他目前正陪老母在渣江閑居。」世全答。

「我日內當去渣江拜訪他。」

「不煩曾大人親到渣江」，王世全說，「來日我修書一封，請他到寒舍來，我再陪他去桑園街謁見大人。」

五　一個鍾情的奇男子

發源於邵陽、祁陽兩縣交界山脈的蒸水，上游水淺河窄，不能行船，到了渣江地帶，河面開始寬闊起來，貨船可以在江上暢行無阻。這裏位於衡州城北偏西，水路到衡州有一百一十里。附近幾十里山區的土特產在此處聚集，通過蒸水，運到衡州城，再南由陸路運到兩廣，北經湘江運到長沙，過洞庭到長江，遠銷全國各地。南北物產也由衡州經蒸水用船運到渣江，然後流散到各戶農家去。因爲這個緣故，一個小小碼頭，逐漸變成了衡陽、清泉兩縣的最大口岸。渣江鎮上三街六巷，百貨俱全，店鋪櫛比，商旅輻輳，不亞於一個中等縣城。由於渣江地面重要，設在衡州城裏的衡陽縣衙門將縣丞官署設置在渣江，以便管理。咸豐二年，縣丞衙門被饑民放火焚毀，現在又修復起來，照舊行使它的職權。

彭玉麟就住在縣丞衙門旁邊一棟簡陋的木板房裏。一早起來，稍事梳洗後，他對母親王氏說：「母親，我到外婆墳上去看看。」

王氏知道兒子篤於情義，從小在外婆家裏長大，對外婆感情很深。自從外婆去世以來，只要玉麟住在渣江，隔不了三、五天，便要到外婆墳上看看坐坐，有時呆痴痴的，一坐個把時辰，硬是用雙脚把家門到外婆下葬處之間走出了一條五里長的小路。她對兒子說：「麟兒，你去去就回來，不要停得太久了。」

彭玉麟離開屋門，在一家紙馬鋪裏買了些錢紙、線香，沿著草河（蒸水的俗稱）走了兩里多路，然後折入一條小道，迤邐進了一座名叫斗笠嶺的山岡。這是一座湘南常見的不大不小的丘陵，山不高，全是紫色頁岩堆成。這種紫色頁岩，當地老百姓叫它「見風消」——剛挖出來，堅硬如岩石，過十天半月，便散碎如泥沙了，山丘表層盡是暗紅色沙礫。這些沙礫既不裝水，又沒有一點肥性，它成了湘南貧困的象徵。走到衡清一帶，眼裏若見著鋪滿暗紅色沙礫的山岡，不用說，這裏的農民一定苦不堪言。

斗笠嶺上幾乎沒有像樣的樹木，只有幾株樅樹，矮矮小小的，稀疏的枝幹在寒風中抖動，如同站著幾個缺衣少食的孩子，令人見了既掃興又憐憫。玉麟外婆的墳就葬在斗笠嶺上一塊向陽之地。在外婆墳邊還有一座稍小的墳，立著一塊矮一點的石碑，上面寫著：梅小姑之墓。兩座墳頭各有一株樅樹，這是玉麟十多年前親手栽的，至今仍不到四尺高。

對於玉麟的上墳，王氏總以為兒子是眷念外婆生前的鞠養之恩。其實，玉麟想念外婆，更想念永遠偎依在外婆身邊的梅小姑。玉麟每次上墳，實際上都是來看望小姑的。今天，他照例在外婆墳頭點燃線香，焚化錢紙後，再在小姑的碑下也插了幾支線香，燃起一堆錢紙。他站在墳邊，心裏默默念道：

「小姑，我又來看望你了。明天我就要離開渣江，到曾大人軍中去了，將會隨大軍轉戰南北，還不知有沒有再來看你的一天。」

望著墳頭被風揚起的片片紙灰，玉麟眼睛變得模糊了，整個身心完全沉浸在往事的回憶中。

玉麟父親彭鳴九因家貧，二十歲時離開渣江投軍，在綠營多年，積功升至安徽懷寧縣三橋巡檢，後又遷合肥縣梁園巡檢。鳴九娶妻王氏。王氏浙江山陰人，父親是個老塾師。王氏十二歲時，父親棄養，母親周氏帶著一子二女守節。王氏擇婿甚嚴，三十歲時才嫁給鳴九。以後王氏的哥哥在安徽蕪湖縣衙門作了個文案小吏，周氏便帶著滿女跟著兒子住在蕪湖。

嘉慶二十一年，玉麟出生於梁園巡檢司署。十歲那年，舅父為玉麟在蕪湖找到了一個品學俱優的先生，於是就在那年告別父母來到蕪湖。玉麟的姨媽五年前正要出嫁時，卻不幸得天花身亡，舅父雖成親多年，却至今未生得一男半女，外婆王老太太常感膝下冷寂。對於玉麟的到來，眞如天上落下一顆星星，歡喜不盡。玉麟生得眉清目秀，聰明伶俐，且秉性篤厚，對長輩恭順，深得外婆和舅父母的疼愛。

一個冬天的午後，玉麟放學回家，繞道到附近一座小山上去看臘梅。剛到山脚，見山溝邊躺著一個十三、四歲的姑娘，臉色青白，兩眼微閉，玉麟嚇了一跳。心想：這女孩一定是病倒在這裏，天氣這樣冷，若不叫醒她，病會加重。他蹲下來，推了推她，喊道：「小大姐，你醒醒。」喊了幾聲，那女孩醒了過來，睜開雙眼望著他，却不作聲。玉麟問：「你是不是病了？」女孩搖搖頭。玉麟好生奇怪，沒有病，為什麼躺在溝邊？他想了想，又問道：「你是餓得很厲害？」女孩點點頭。「我扶你起來，你到我家去吧，我請你吃飯。」女孩望著玉麟，仍然沒有作聲，眼睛裏流出兩行淚水。玉麟明白她心裏在感謝。於是扶起女孩，一路攙著她回到自己的家。玉麟把情況跟外婆說了，王老太太也很憐憫，怕餓過頭的人一時受不了硬飯，趕緊熬稀飯給她吃。那女孩狼吞虎咽吃了兩碗稀飯後，氣色好多了。王老太太又收拾好自己的床鋪，要女孩睡到被子裏去暖和暖和。那女孩激動地叫了聲大娘，雙膝跪下去，給王老太太和玉麟磕頭，慌得玉麟趕快扶起她。王老太太要女孩休息，把玉麟拉出門外。王老太太把這事告訴兒子和媳婦，舅父母都稱讚玉麟這事做得好，說心腸好的人今後會有好報。玉麟很高興。

到了掌燈時，那女孩還未醒過來。王老太太進屋，坐在她的旁邊。眼前這個孩子，王老太太越看越像自己的滿女，看看想想，竟然流出了幾滴淚水。過一會，女孩醒過來。她一眼看著王老太太慈祥地坐在自己身邊，心裏暖洋洋的，如同看到媽媽一樣，情不自禁地喊了一聲「大媽」。她向王老太太懇求：「大媽，我不走了，我就留在你這兒吧！我什麼活都會做。」

王老太太吃了一驚：「孩子，你怎麼能不回家，父母怕都要想死你了。」

女孩流著眼淚說：「大媽，我沒有父母，也沒有家。」

王老太太扶著女孩坐起，說：「孩子，你爲什麼昏倒在路邊，你把詳情給大媽說說吧！」

女孩點點頭，穿上衣，坐在床邊，就像對自己親生的母親傾吐滿腔苦水。

原來，這孩子姓梅，名叫梅小姑，今年十四歲了，是浙江嵊縣人。兩年前，父親得癆病去世，母親哭得死去活來。誰料半年後，小姑十歲的弟弟又得天花死去。兒子的死，給小姑母親沉重的打擊。自那以後，母親便病倒了。家貧無錢醫治，拖了一年多，也下世了。剩下小姑一個女孩子，無依無靠，孤苦伶仃。小姑雖然沒有讀過書，心眼却靈秀，裁剪針黹，煮飯燒菜，樣樣都做得好，模樣也長得出衆。街坊鄰里有心腸好的，常常送點東西給她吃。也有人叫她做點女紅，送她些手工錢。這樣過了半年。

有一天，小姑的一個遠房嬸子從合肥回來，曉得了小姑的情況，便笑吟吟地來到小姑的家，對她說：「嬸子領你到合肥去，那裏有個越劇團，班主是我們嵊縣人。你長得漂亮聰明，今後跟班主學戲，一定可以賺大錢出大名。」嵊縣是越劇的故鄉，會唱越劇的人很多，小姑也會哼幾句。她不想賺大錢、出大名，但她喜歡越劇，何況家裏沒有掛牽，去就去吧！小姑跟著遠房嬸子上了路。一路上，她把嬸子當恩人，盡心盡意照顧她。昨天夜裏，小姑和嬸子落脚在一家伙鋪裏。半夜醒來，發覺隔壁有兩人在談話。聽聲音，一人是嬸子，另一個也是個中年婦女，但不是浙江人的口音。小姑好奇，把耳朶貼著板壁上偷聽。這一聽，嚇得她臉色煞白，手脚發抖，渾身如同掉進了冰窟。原來，她錯把惡鬼當菩薩。這個遠房嬸子，過兩天就要把她賣到一家窰子裏去作婊子，賣笑接客。小姑想到自己命運的悲慘，一夜裏，淚水把整個枕頭全部濕透了。小姑想：寧願死，也不進窰子。她趁天未亮，便偷偷離開伙鋪，不分東西南北，信天跑去，心裏只有一個念頭：離開嬸子越遠越好。她又急又怕又冷又餓，走到山溝邊想掬口水喝，剛彎下腰，頭一暈，眼一黑，便倒在水溝邊……

小姑邊說邊哭，王老太太邊聽邊流淚。老太太自滿女去世以後，常常痴心地想帶一個女孩。她憐憫小姑的苦命八字，也喜歡小姑的清秀靈泛，又一口紹興府的鄉音，和兒子媳婦商量後，收下了這個養女。

沒有多久，小姑身體復原了，面孔光潔，白裏透紅，益發顯得標致。她勤快溫柔，樣樣活都幹得好，對王老太太像對親生母親樣的貼心，對老太太的兒子媳婦，也和對親哥嫂樣的親熱，對待玉麟，則更是關心體貼，無微不至。她感激玉麟，是玉麟救了她的命，是玉麟把她帶到這樣好的家庭。今生今世，要把自己全部的心血和愛都奉獻給玉麟。她打算自己一輩子不嫁人，今後養母歸天了，玉麟成家了，她就到玉麟家去，爲他操持家務，把一個女人所能做到的一切，都用來報答玉麟的再生之恩。

每天一早，小姑都把玉麟上學所用的書和筆墨紙硯整整齊齊地放到竹籃子裏。吃完飯後，她提著竹籃送玉麟到先生家。到了放學的時候，她早早地跑去接他。放學回家後，玉麟喜歡畫畫，小姑就常在一旁幫他鋪紙、研墨。傍晚，玉麟休息時，她坐在玉麟身邊，聽玉麟講些古今故事。那些故事多有味啊！慢慢地，她也懂得了不少知識，也跟玉麟學得了幾百個字。

「玉麟，我問你一件事。」有一天夜晚，玉麟在燈下合起書本準備休息時，小姑輕輕地問他。

「什麼事？梅姨。」

「我跟你說過好多次了，你不要叫我梅姨，我只比你大兩歲，聽起來多難為情。」

「你是外婆的養女，我不叫你姨叫什麼呢？總不能叫你小姑姐吧！」

「你就叫我小姑吧。」

「小姑？太不禮貌了。」

「你就叫我小姑吧，我喜歡聽。」小姑說著，臉上泛起一陣紅暈，猶如三春季節，桃花開了。玉麟真想用手去摸摸。

「好！以後就叫你小姑吧。你剛才要問件什麼事？」

「玉麟，你以前講，古時有個叫蘭芝的女子，曾割臂蒸湯給丈夫吃，終於治好丈夫的病。人肉真的可以治病嗎？」小姑瞪著兩只秋水般的眼睛望著玉麟，一轉不轉的。

「這怎麼說呢。」玉麟感到很爲難，「可能有用吧！不然古書上爲何常有割臂療母、割臂療夫的記載呢！」

幾個月後，玉麟感風寒病倒在床，一連七、八天，吃了十來服藥都不見效。這天，小姑端來一小碗湯：「玉麟，你把它喝了吧，喝了就會好。」

「這是什麼藥？」玉麟問。

「你不要管，喝了再說。」

玉麟端起碗，湯上浮著幾個油圈圈，碗中有一塊一寸長三分寬的肉條。他望著小姑慘白的臉，有點懷疑。他放下碗，抓起小姑的手，大聲說：「你把手臂伸給我看！」

小姑兩眼含著淚水，死死地把手縮緊。玉麟明白了，他抓緊小姑的手，帶著哭腔地說：「傻姑，割臂療病，那是古人心誠的表示，哪裏眞的就可以治病呢！你怎麼下得手，割自己的肉。」

小姑眼裏的淚水流了下來，喃喃地說：「你不是說有用嗎？即使無用，表示我的心誠也好嘛！」

玉麟哪裏能喝下。從這碗湯裏，玉麟看到小姑那顆水晶般的心。

時間一天天過去，玉麟和小姑也一天天長大。玉麟覺得自己不知從哪天起，就已經深深地愛上了小姑，常常夜闌更深想起小姑，想得心裏火辣辣的，恨不得立刻就把小姑娶來作妻子。他恨外婆那時爲什麼不認小姑爲乾孫女，却偏要認作養女。外婆的女兒，就是自己的姨，有外甥娶姨媽的嗎？但小姑畢竟不是外婆的親女，只要外婆說一聲，改養女爲乾孫女，不就行了嗎？玉麟不敢向外婆開這個口，羞呀！小姑想得更多，更熱切，她更羞於言辭。到了後來，兩人在一起，又快樂又痛苦。純眞的愛情，便被這人爲的大石板壓著，只能彎彎曲曲、扭扭捏捏地孳生。

玉麟十七歲那年秋天，祖母在渣江病逝。父親辭官，全家回原籍奔喪。行前寫信給玉麟，要他在蕪湖等候。玉麟從出生到現在還沒有見過祖母一面，但老人家去世，他也感到痛苦。更使他傷心的是，他就要離開小姑了。小姑聽到這個消息，哭得兩眼紅腫。她請玉麟給她畫一幅畫，畫面是她自己想好的：一株盛開的紅梅，旁邊站著一只威武的麒麟。玉麟懂得她的意思，按著她的構思畫了。那一夜，小姑房裏一盞油燈一直亮著，她在用彩色絲線綉這幅畫。那一夜，玉麟躺在床上，直到天明未合眼。就要離開小姑了，他有種失魂落魄之感。第二天，小姑又綉了一天。到了夜晚，小姑推門進來了。她什麼話都沒有說，拿出兩雙鞋子、四雙襪子，一個精致的綉荷包，默默地遞給玉麟。看著小姑面色憔悴，兩眼無神，玉麟傷心。小姑又從懷裏拿出那幅綉好的麒麟梅花圖來，雙手抖抖地送給玉麟。玉麟接過，只見那只麒麟用臉摩挲著身旁盛開的紅梅花，互相依依不捨。玉麟忽然把小姑緊緊地抱著，一股熱血在胸中奔湧，他似乎覺得今夜自己已經是一個成熟了的眞正的男子漢。他失去了理智，狂吻著小姑那張潔白細嫩的臉。小姑閉著眼睛，柔軟地躺在他的懷裏，溫順地接受著他的撫愛。當玉麟把她抱到床上的時候，她一點也沒有加以制止，只是用手指了指那盞忽明忽暗的豆油燈。玉麟吹滅了燈……

重新點燃油燈的時候，小姑已穿好了衣服，兩頰紅通通的，偎依在玉麟的肩上，喃喃地說：「玉麟，我的弟弟，我的郎君，我永遠是你的人，三、四年後你一定回來。」

玉麟用手梳理小姑散亂的頭髮，說：「小姑，我的姐姐，我的親人，三、四年後我一定回蕪湖來，那時我和你拜天地，洞房花燭。」

「莫這樣急，玉麟，再晚點，媽媽今年七十多歲了，待她老人家百年後，我們再成親。我不忍心在老人家生前不作她的女兒，而作她的孫媳婦。再說，你也還要抓緊時間用功，我盼望你早日進學中舉點翰林，爲彭氏光宗耀祖。三、四年後你回蕪湖來，我陪你讀書。」

「好，小姑，我聽你的，等外祖母百年後再說。我要用功，我要早點取得功名，讓你當夫人。小姑，你等著我，三、四年後我一定回來。」

「玉麟，我等著你。此去衡州，登山涉水，你要保重，你要常常給我來信。」

玉麟跟著父母，帶著十二歲的弟弟玉麒回到了渣江。他從沒有見過自己的故鄉，渣江在他的眼裏是陌生而新鮮的。辦完祖母的喪事，他就急忙給小姑寫了一封信，趁父親發信給上司的機會，順路將此信寄到蕪湖。信中還夾了一首五律：「昔聞蒸湘水，今日到衡陽。樹繞湘流綠，雲開岳色蒼。弟兄慚二陸，父母喜雙康。風土初經歷，家鄉等異鄉。」他盡量寫得淺顯，爲的是讓小姑看得懂。怕小姑不明白「二陸」的典故，又在旁邊用小字註著：「系陸機陸雲，兄弟二人以文才名世。」但小姑沒有信來。玉麟知道，小姑寄信不容易。她只能趁舅父寄信機會才能捎來一頁紙幾句話。有沒有信來不要緊，玉麟相信小姑是時時刻刻在想著自己的。

誰知災禍接踵而來，回渣江兩年後，正在壯年的父親却染病身亡。父親臨死時沒有留給他別的話，只把一本舊書珍重交給玉麟，告訴他：這是多年前一位朋友送的。近幾年來，夷人從水路侵犯我海疆，看來水師在今後會大有用處。原本想起復後，自己訓練水師用。現在不行了，要玉麟好好研讀。玉麟接過一看，這是一本從來沒有見過的書，封面上寫著：公瑾水戰法。玉麟埋葬父親後，杜門不出，在家細讀《公瑾水戰法》。這是三國時周瑜在鄱陽湖訓練水師時所寫的，內有水師的編制、陣法、訓練等內容，是周瑜訓練水師的經驗總結。玉麟認眞揣磨周瑜的水師作戰方法，平時常用紙船在池塘裏模擬演習。他相信今後會有一天用得上。

轉眼回渣江已五年，玉麟二十二歲了。喪服剛一除，提親的人便絡繹不絕地來到彭家。王氏也想早點抱孫，極力要兒子早成親。玉麟心中想著小姑，根本不理睬這事。每次提起，均以年歲尚小，功名未成相推辭。五年間，玉麟只收到小姑一封信。信紙拿在手裏皺巴巴的，凸凸凹凹不平。玉麟知道，這是小姑寫信時眼淚滴在紙上造成的，眞是「一行書信千行淚」呀！小姑告訴他，外婆身體好，舅父母身體好，她的身體也好，媒人辭掉了幾十個，天天巴望著玉麟回蕪湖。父親已去世，還回安徽做什麼？安徽並沒有彭家的根，彭家的根在渣江！玉麟看完信後苦笑著。他按捺著火一般的思念之情，耐心地等待著那一天。

又過了兩年，從蕪湖來了封急信。信中說舅父去世，要玉麟前去吊唁。舅父無子，他愛玉麟，把玉麟當作自己的親生兒子。得知舅父去世，想起在舅父身邊生活了七年之久，舅父的疼愛終生難忘。玉麟又想起風燭殘年的外婆晚年喪子，不知有幾多悲痛。玉麟心裏很難受。他跟母親商議，要把外婆和姨媽接到渣江來奉養。王氏爲兒子的孝順所感動。她不知，兒子固然是要奉養外婆，更重要的是天天和「姨媽」在一起。玉麟一路急如星火地趕到蕪湖，祖孫見面，抱頭痛哭，和小姑見面，悲喜交集。一別七年，小姑已二十六歲，是個老姑娘了，她不能再不出嫁。看著悲痛欲絕的外婆，玉麟打消了立即成親的念頭。

玉麟護送外婆和小姑回湖南。一路上，玉麟和小姑耳鬢廝磨，形影不離。七年的離別太久太苦了，從今以後永遠不能再分開，過去的虧欠要加倍地補回來。船將到彭澤的時候，玉麟指著長江中高高聳立的小孤山，給她講小姑和彭郎相望的故事：傳說很久很久以前，有一對恩愛的夫妻，男的叫彭郎，女的叫小姑，在長江邊靠打漁爲生，夫妻倆相親相愛，過著幸福平靜的生活。有一年，彭郎病了，一連半個月，不能出船打魚。小姑偷偷地駕了一只船下水，她要打些魚來爲彭郎換藥治病。但那天江面忽起巨浪，小姑的船被吞沒，她不能再回來了。彭郎倚門望江，一聲接一聲地喊著「小姑，小姑」。忽然，奇蹟出現了。彭郎發現江心冒出了一座小島，看那形狀，正是他的小姑所化。彭郎激動地撲向江中，向小姑奔去。一個巨浪過來，彭郎與巨浪合成一體。它日日夜夜拍著小姑，千百年過去了，永遠如此。

「這是你瞎編的。」小姑聽著聽著，臉上泛出紅暈，笑著說。

「不是的，書上有記載。」

「那爲什麼也叫彭郎，也叫小姑呢？」

江水在船底急速地流著，小姑躺在船艙裏，心裏感到無比的幸福。忽然，她想起彭郎和小姑的愛情，最後竟以悲劇結束，眼前似乎浮現一層陰影，心中有一種莫名的悵意。

「那我就不知道了。」

老天眞是無眼。正當這對有情人又開始朝朝夕夕相處的時候，一個可怕的疾病已偷偷地纏住了小姑。一天清晨，小姑起來到井邊挑水。回來的途中，她覺得喉嚨粘乎乎的，吐出來一看，她驚呆了：竟是一口血痰！小姑立時軟癱。她想起十多年前，父親正是死於吐血。這可是不治之症啊！她明白，得這個病是因爲多年來苦苦思念玉麟的緣故。她常常整夜整夜不眠，睡不著，就起來爲玉麟納鞋底。寫信無法寄，她乾脆把鞋底當信紙。這一針一線，便是對玉麟說的千言萬語。就這樣活生生地把人給弄病了。

「小姑，就是傾家蕩產，我也要把你的病治好。」玉麟挨著小姑的臉說。

「玉麟，你不要著急，我相信我的病會好。我現在有多幸福啊！我再也不要苦思苦想了。」

小姑把臉挨得更緊，兩行淚水流在玉麟的臉上。

人力終於無法回天。小姑一天天瘦了、乾了。她再也不水靈靈、嫩生生了。挨到第二年春天，正是百花盛開的時候，小姑却長眠在寸草不生的斗笠嶺。玉麟悔恨不已。那時如果鼓起勇氣跟外婆講清一切就好了。外婆那樣的慈祥，對自己，對小姑那樣的疼愛，她會寬恕我們的孟浪的。假若那時就携帶小姑一道回渣江，怎麼會有今天她的早逝呢！玉麟捶胸打背，呼天搶地，但已經晚了。在小姑的墳前，玉麟栽下一棵樅樹，又拿出那幅麒麟梅花圖來，失神地看著，喃喃低語：「小姑，我這一生要畫一萬幅梅花來紀念你，紀念我們生死不渝的愛情。」

那夜，玉麟用淚水作墨，寫了兩首七律。

少小相親意氣投，芳踪喜共渭陽留。
劇憐窗下廝磨慣，難忘燈前笑語柔。
生許相依原有願，死期入夢竟無繇。
斗笠嶺上冬青樹，一道土牆萬古愁。

皖水分襟整七年，瀟湘重聚晚春天，
徒留四載刀環約，未遂三生鏡匣緣。
惜別惺惺情繾綣，關懷事事意纏綿。
撫今思昔增悲哽，無限心腸聽杜鵑。

彭玉麟從墳上回來，已是將近吃中飯的時候了。王氏對兒子事事滿意，就是有一點不理解：今年都三十七歲了，却始終不願成家。任你怎樣漂亮的女子，都不能打動他的心。問他，總說：「待金榜題名時，再議洞房花燭事。」王氏想，天下哪有强牛這樣的人，倘若這一輩子名不能題金榜，就一輩子不成親了嗎？幾多人在妻子兒女一大羣之後才中舉中進士的。這孩子，如何這樣認死了目標，就九條牛都拉不回頭呢？幸而次子玉麒早已成家，並生下兩個女兒，王氏尚不苦膝下冷寞。玉麟實在不願成親，她後來也懶得說了。

玉麟將隨身衣服書籍收拾好，把《公瑾水戰法》又大致翻了一遍，然後用布包好。他找出珍藏的麒麟梅花圖來，貼心口放著。又把幾年來已畫好的一千多張梅花包紮好，鎖進大櫃子。已是深夜了，窗外，一只鳥兒飛過，發出一種奇怪的叫聲。玉麟聽了，心潮起伏，感慨萬千。他拿出一張紙來，提筆寫道：

岣嶁峯有鳥，夜呼「當時錯過」，聲清越淒惋，不知何名，其亦精衛、杜鵑之流歟？

寫完這幾句話後，他站起來，在屋裏背手來回踱步，輕輕低吟，然後又重新坐下，在紙上寫了兩首七律。

「當時錯過」是禽言，無限傷心竟夜喧。

滄海難塡精衛恨，清宵易斷杜鵑魂。
悲啼只為追前怨，苦憶難教續舊恩。
事後悔遲行不得，小哥空喚月黃昏。

我為禽言仔細想，不知何事錯當時。
前機多為因循誤，後悔皆以決斷遲。
鳥語漫遺終古恨，人懷難釋此心悲。
空山靜夜花窗寂，獨聽聲淒甚子規。

寫完詩，玉麟久久地佇立在窗邊。白天熱鬧的渣江已被夜色所吞沒。天長地久有時盡，此恨綿綿無絕期。「小姑，待日後大功告就，我決不貪戀富貴，一定回渣江守著你的孤墳。」玉麟在心裏自言自語。

六　把籌建水師的重任交給彭玉麟、楊載福

從那次王裔坪回來，曾國藩又派人把王世全接到桑園街住了一天。王世全把彭玉麟的情況

詳詳細細地告訴曾國藩。當然，王世全不知道彭玉麟至今單身的眞正原因，而曾國藩却更佩服玉麟「匈奴未滅，無以家爲」的志氣，認爲是當今少有的奇男子。他對世全說：「一旦彭玉麟到了你家，你就派人告訴我，我要親到貴府去拜訪他。」

恰巧這時上月派往江西了解軍情的郭嵩燾，從江西帶著江忠源的信，來到了衡州桑園街。江忠源鑒於太平軍水師的强大，力勸曾國藩在衡州訓練水師，並答應向朝廷上奏。郭嵩燾也把在前線所看到的太平軍炮船，在江上往來如飛的威風告訴曾國藩。曾國藩愈想早一點見到彭玉麟。

彭玉麟來到王季坪的第二天下午，曾國藩就來了。玉麟見曾國藩親自來看他，十分感動。有點局促不安地說：「曾大人，玉麟渣江街上一落魄書生而已，豈敢勞大人屈尊降貴前來，這實在是萬萬擔當不起的。」

曾國藩雙手拉著玉麟的手，仔細端詳著這位早幾年才進學的秀才，果然長身玉立，英邁嫻雅，在清秀的眉目之間透露出一股卓爾不羣的勇武氣概來。他突然在腦子裏浮現出由秀才而封王的鄭成功的形象，心中喜不自已，笑道：「聽世全先生介紹，雪琴兄是時下罕見的奇男子，國藩心儀已久，今日有幸結識，實爲三生緣分。」

一股相見恨晚的誠意深深感動了彭玉麟。他激動地說：「大人言重了。大人以朝中卿貳之貴，在衡州訓練虎旅雄師，爲衡州大壯聲威。大人文武兼資，一身擔天下重任，大人您才是眞正的奇男子。」

曾國藩哈哈一笑：「衡州是國藩的老家，況且今日還談不上壯聲威，即使壯了聲威，也是應該的。」

「雪琴知道大人要辦水師，極願爲大人效力。」王世全說。

曾國藩對彭玉麟說：「早就知足下深通周瑜水師戰法，是國家棟樑之材。國藩欲請足下先籌建水師第一營，待足下將此營建好後，擬以此營爲榜樣，再建九營，共建十營水師。」

「玉麟其實只是一個書生，雖讀過周公瑾的水師法，但畢竟是紙上談兵。大人將這付重擔交給我，玉麟如臨深履薄，深恐日後折足覆餗。」

「足下不必謙遜。國藩深知兄台機警勇敢。道光末年，親擒反賊李沅發，實儒林中少見之英雄。」

「後來衡州協爲雪琴請功，總督裕泰公以爲擒李沅發者必爲武人，於是拔雪琴爲臨武營外委，賞藍翎。雪琴一笑置之，竟不受賞，辭歸渣江。」世全笑道。

「此事眞可載儒林趣談。去年足下在耒陽當機立斷，發主人質庫數百萬錢募勇制旗守城。這種魄力，國藩深佩不已。」

玉麟淡然一笑：「這也是倉促之間，無可奈何。那時縣令請餉，竟無一應，只得以此應急，也顧不得主人肯不肯了。」

「將在外，君命有所不受。就憑這一件事，足可以看出雪琴兄的將材。」

大家都笑起來。曾國藩說：「軍事殷急，不容閑暇。請雪琴兄明日就搬到桑園街去，立即著手籌建水營。不過，有一事我想勸足下一句。」

「請大人賜教。」

「聽說足下至今尙單身一人，要等功成名就後再成家，志氣雖可佳，但竊以爲不必如此固執。古人說，不孝有三，無後爲大。不娶妻生子，怎能慰老母之心？且今後從軍打仗，兵凶戰危，生死難以逆料，更不能沒有子嗣。望足下聽某一言，在大軍離開衡州之前，一定成家。」國藩叫親兵抬來一盒銀子，指著盒子說：「軍中餉銀匱缺，又乏珍稀，這八百兩銀子不是聘足下之禮，只是作爲足下的安家之費。待得足下成家之後，水師訓練好了，再浮江北下，爲朝廷分憂。」

彭玉麟既不能拂逆曾國藩的這番好心，也不能不接受這份厚贈，只得恭敬從命。

彭玉麟第二天就搬進桑園街趙家祠堂。曾國藩想起楊載福在洞庭湖上的精采表演，覺得楊載福實在是個難得的水師軍官，便向彭玉麟介紹了楊載福。二人相見，甚是歡洽。前些日子，曾國藩從長沙請來永泰金號老板黃冕到衡州。黃冕曾在江蘇一帶任過多年知府，見過許多炮船，視察過江蘇水營，對辦水師有經驗。又調來在廣西管帶過水營的候補同知褚汝航。楊、黃、褚三人和彭玉麟一起商討水師的籌建。先定在石鼓嘴下的青草橋邊建一大造船廠，廣招各方木匠，努力造船。爲互相辨認和壯聲勢，彭玉麟還爲新籌建的水師第一營設計了各色旗幟。

常言道，插起招軍旗，自有吃糧人。衡州、衡山、祁陽一帶歷來多船民。這些船民，並不打魚，而是靠長途運貨爲生。自從太平軍這一兩年在湘江、洞庭湖一帶點燃戰火以來，長途販運的船民的生計受到很大影響，許多人只得改行另謀生路，但大部分既無田，又沒有別的手藝，生活很困難。得知曾國藩在衡州招水勇，連個櫓工的餉銀都可以養活一個四口之家，於是這一帶失業的船民接踵而來。短短十天，前來投軍的便有二、三千，大大超過一個營的編制。曾國藩決定從中挑出一千五百人，同時建三個營。任命彭玉麟爲第一營哨官，楊載福爲第二營哨官，褚汝航爲第三營哨官。

七　湘江水盜申名標

自從彭玉麟的到來和水師的順利建成，湘勇出現了一派新氣象。每逢單日，曾國藩去演武坪，逢雙日則去石鼓嘴，見塔、羅訓練的陸勇和彭、楊訓練的水勇都在認眞操練。坪裏，刀槍閃光，殺聲震天；江面，旌旗耀眼，戰船如梭。水陸兩支人馬威武雄壯，曾國藩心情十分歡悅。這些日子來，每天夜晚曾國藩都和康福對奕。康福將祖傳秘局一一傳授給曾國藩，曾國藩的棋藝大有進展。這天夜裏，曾國藩與康福又在以康氏祖傳的雲子切磋棋藝，彭玉麟、羅澤南等在一旁觀看。正下得起勁，一個水勇風風火火地闖進門來稟報：「曾大人、彭總爺，江上有賊偷襲我們，楊總爺正率領人和他們在搏鬥。」

曾國藩忙把棋子一扔，對彭玉麟說：「到江邊去看看。」

說完，二人帶了幾個隨從，騎著快馬，一溜烟向石鼓嘴江邊跑去。

黑夜裏，只見江面上燈火通明，七、八條水師長龍圍住一條極大的民船，民船上裝著疊得高高的痲袋，那些痲袋裏裝的都是湘勇的口糧。快蟹上的水勇們，一手提著刀，一手擎著火把，七嘴八舌地吆喝。一些人則縱身跳到民船上，與船上的人扭打。江面，有兩個人頭在水面上下出沒。曾國藩來到岸邊，立即又叫開出四、五條長龍，命令他們務必將民船上的人全部抓起來。約莫過了半個鐘點，楊載福鑽出水面，一隻手抓住另一個人的頭髮，把他拖到岸邊。時已隆冬，楊載福出水後已冷得發抖。曾國藩看那人時，只見他臉色青灰，就像死去一般。曾國藩要楊載福進艙換衣，並吩咐多喝幾口白酒，又叫人拿出一套乾衣服來給那人換了。接著走進船艙，親自審訊被抓的一批竊賊。這批竊賊共有十六人，他們招供，因生活所逼，前來盜竊軍糧，爲頭的就是被楊載福從水中拖出的那人，名叫申名標。

申名標被押了上來。此人年近四十，長得五大三粗，慓悍猙獰。見到曾國藩，便雙膝跪下，說：「我申名標有眼不識泰山，冒犯了大人，我甘受大人處罰。在水中擒拿我的那位壯士一手好功夫，我佩服。如果大人不嫌我是竊賊，我願投靠大人麾下，爲大人效力。」

曾國藩問：「你除會偷盜外，還有些什麼本事？」

申名標苦笑了一下，說：「大人，偷盜不是我申名標的本事，只是這些天來，弟兄們攬不到事幹，家裏老少都餓得肚皮貼著脊梁骨，我們眼紅大人軍中的糧食。大人，我們是被逼幹的。我申名標十幾年前，也曾是關天培將軍手下的把總，於水戰稍知一二。大江之上，一刀在握，二、三十條漢子並不在我的眼中，這上下百餘里水面上，提起我申名標的名字，船民中無人不知。」

楊載福在一旁說。「這小子是有些能耐，十幾個兄弟都被他打下了水。水下功夫也來得。」曾國藩捋著長鬚，微閉著三角眼在思索：這申名標分明是個湘江上的水盜，梁山泊裏阮氏三雄那樣的人物。這種人最無品行操守，給他當個頭目，他會壞了軍風軍紀，把一羣人都帶壞；若只給他當個普通勇丁，誰又能管得了他？如不要，此人勇敢，有些功夫，目前正是用人之際，埋沒了他的長技，又太可惜。尤其是當過關天培手下的把總，這點更使曾國藩動心。對關天培，曾國藩一向欽佩，在關提督手下當過把總的人，總不是十分不濟的人。收，還是不收？曾國藩在猶豫著。彭玉麟說：「大人，這等鼠盜之輩，縱有某些長處，也還是以不用爲好，將來敗壞軍營風氣，爲害更大。」

楊載福見曾國藩沉吟不語，便說：「大人，雪琴兄的話固然有道理，但依載福看來，此人尚能用。我與他交手半個時辰之久，無論水上水下的功夫，湘勇水師中還少有人及得他的。況且用人如用器，用其所長，避其所短，主要看在駕馭得不得法。」

曾國藩頻頻點頭，楊載福的這種觀點與他的想法完全一致。他暗思，莫看楊載福年紀輕輕，眞有大將氣度。曾國藩睜開眼，微笑地看了楊載福一眼，然後轉過臉去，威嚴地審視申名標良久，厲聲訓道：「申名標，你帶頭偷盜我湘勇軍糧，犯了死罪，你知不知道？」

申名標磕頭如搗蒜：「小人知罪，小人罪該萬死。求大人饒命。」

曾國藩喝道：「你這等偷鷄摸狗之輩，本不應該收留，以免壞了我的營規。本部堂憐你有一技之長，目前國家正是用人之際，我爲國家著想，又看在楊總爺的面上，收下你。就派你在楊總爺營中聽命。今後要遵楊總爺將令，老老實實改邪歸正，爲國家出力。立了功，一樣少不了你的升官發財；若舊病重犯，兩罪併罰，本部堂軍法不容！去吧！」

申名標見曾國藩收下了他，喜不自禁，忙又磕頭。起來後，又在楊載福面前磕了兩個頭。曾國藩命令將抓到的竊賊，每人杖責十板後放了。申名標本無妻小，跟那幫兄弟說了幾句分別話，也不回去了，當夜便宿在船上。

從那以後，申名標便在楊載福的水師二營中充當一名水勇。申名標十分感激楊載福的恩德，對他畢恭畢敬，訓練時百倍賣力，又加之對水戰很有一套。不久，楊載福便提拔他當了一名什長。申名標又暗地招喚來二、三十個船民頭領投靠楊載福。楊載福放排出身，自然十分熟悉水上船民的性格，知道他們大都驍勇粗豪，不受約束。他不僅能容下申名標，又見他招來的兄弟個個都有一身硬功夫，且其中幾個，楊載福在放排時就已聞其名，故而對他們一概歡迎。這批人也死心塌地跟著楊載福。一個月後，楊載福提拔申名標當了一名哨長。申名標給楊載福當參謀，將在關天培水師中所學得的佈陣操練的功夫全部獻了出來，協助楊載福訓練。楊載福的水師二營果然進步甚快，在三個水師營中一枝獨秀。其他兩營也不甘落後，水師中出現一股你追我趕的氣氛。湘江本一向平靜溫柔，像個待字閨中的淑女，這下弄得一天到晚箭拔弩張、殺氣騰騰，變得如同一個準備出征的武夫似的。曾國藩見三營水師蒸蒸日上，又恰好這時收到郭嵩燾在湘陰募集的二十萬兩餉銀，於是索性比照陸勇的建制，也建十個營。告示一貼出去，應募者紛至沓來。那個年代，老百姓貧窮困苦，走投無路。苦難的歲月，使得人對生的留戀大大減弱，對死也不甚畏懼，反正生和死都差不了多少。他們想：投軍吃糧，固然容易死在戰場，但吃了幾天飽飯，喝了幾頓好酒，就是死了也值得，也許還能在戰場上發橫財也不可知。若祖上的墳堆葬得好，說不定還可殺出個軍官來，光宗耀祖，享受人世間的榮華富貴。不上半月，水師又建起七個營，連同原來三個，共十營。戰船不夠，曾國藩便委託黃冕在湘潭又建一座船廠，晝夜不停地改造民船，製造新船。又派人到廣東購買洋炮。曾國藩對這十營水師分外喜愛，彭玉麟、楊載福又是他一手賞識提拔上來的營官，可謂眞正的心腹嫡系。曾國藩將大部分心思轉而用在水師上，他甚至認爲，這十營水師，才是眞正的曾家軍。

正當彭玉麟、楊載福等人指揮十營水師在湘江上，按照周瑜當年所創造的長蛇陣、方城陣、八卦陣等陣式，並參照關天培訓練水師的經驗逐日操練時，太平軍西征軍在千里長江兩岸取得了輝煌戰果。安徽戰場上，翼王石達開坐鎮安慶主持全局。先是攻克集賢關、桐城、舒城，幫辦團練大臣、工部侍郎呂賢基兵敗自殺；接著是廬州克復，新任安徽巡撫江忠源投水自盡。江西戰場上，國舅賴漢英在占領湖口後，戰船進入鄱陽湖，一舉攻克南康府。接著湖口、九江易幟，又連克豐城、瑞州、饒州、樂平、浮梁，擊斃守城官吏。國宗石祥禎指揮大軍從江西西上進入湖北，克復武穴、田家鎮、蘄州。張亮基奉旨降調，新任湖廣總督吳文鎔戰死在黃州府城外二十里的堵城。節節勝利的西征軍將士，從水陸兩路再次包圍湖北省垣武昌。

第六章　靖港慘敗

一　爲籌軍餉，不得不爲貪官奏請入鄉賢祠

江忠源、吳文鎔先後兵敗而亡，給曾國藩刺激極大。江忠源與曾國藩相交十餘年，曾國藩賞識、推薦他。江忠源也不負期望，軍興以來，建楚勇、守城池，屢立軍功，兩三年間，便由署理知縣而升至巡撫，爲湖南讀書人開立軍功而顯達之路，樹立了一個榜樣。江忠源爲謝曾國藩的知遇之恩，多次向朝廷稟報曾國藩在衡州練勇的業績，並爲他爭取了擴勇的合法地位。在今後的歲月裏，無論是在戰場上，還是在官場上，江忠源都是曾國藩可以靠得住的朋友。不想正在功名日隆之際，却突然應了他當年「以節烈死」的預言。如同心中一根支柱被摧折，曾國藩心裏有種空蕩蕩的感覺。吳文鎔是曾國藩戊戌年會試座師，是一個於曾國藩有大恩的人。吳文鎔從貴州巡撫任上奉調爲湖廣總督，途經長沙時，書報曾國藩來長沙會見。曾國藩因軍務方殷，不違離開。吳文鎔到武昌後，多次請曾國藩派勇援助，並奏請朝廷下令調派。曾國藩因對湘勇出省作戰無把握，寧願冒著有負恩師與朝命之大不韙，都不肯派一兵一卒北上。他寫信給恩師，要他堅守武昌，等幾個月湘勇訓練好了後再出兵。但朝廷的嚴責、湖北文武的譏諷，使得吳文鎔不得不親到前線督兵。戰死前兩天，他還給曾國藩寫了一封信，說自己是被逼來到前線

，必死無疑，環顧皖贛鄂湘四省，唯一能與洪楊作戰的，只有衡州一支人馬，要曾國藩好自爲之。吳文鎔的陣亡，使曾國藩負著一層深深的疚意。

忽然又報圍攻武昌的太平軍分爲二，一支由北王之弟韋俊統率，繼續攻打武昌城，一支由翼王胞兄石祥禎與秋官又正丞相曾天養、春官又副丞相林紹璋、金一正將軍羅大綱等統率，名號征湘軍，挺進湖南，要打通天京至兩廣的道路。消息傳到長沙，駱秉章火速上奏朝廷。咸豐帝降旨，令曾國藩盡快從衡州發兵，堵住征湘軍南下，並進而北上救援武漢。

接到皇上的諭旨，曾國藩仍按兵不動。這有幾個原因。一是向廣東定購的洋炮還只到八十座，大部分未到。二是大軍啓程，要幾千夫役，這筆銀子尚無著落。這幾個月招募水師，開爲船廠，靠的是郭嵩燾募來的二十萬兩銀子。國庫空虛，朝廷所撥的銀子遠不夠用。湖南藩庫只有原來那一千號人的餉銀，一兩銀子也未增。兵馬未動，糧草先行沒有銀子，哪來的先行糧草？甚至連勇丁們近來訓練的勁頭也大大降低了。還有一個原因，是曾國藩不能對任何人講的：有意緩點出兵，隔岸觀火，看看駱秉章和鮑起豹在長毛面前丟城失地的狼狽像，到那時自己再來收拾殘局，揚眉吐氣，豈不更好？

洋炮等一等就會來的，曾國藩並不著急。但銀子缺乏，却最使他頭痛。向衡州城裏幾家大紳士、大商號發出的捐餉書，已經五、六天了，好比泥牛入海，無半點消息。曾國藩爲此事十分心焦。

「大人，捐餉一事有了點進展。」彭玉麟走進趙家祠堂，面有欣色地對曾國藩說。

「呵？快坐下來談談。」就像久旱時聽到一聲雷響，曾國藩眼裏射出興奮的光芒。

「昨天下午，楊健的孫子楊江派人邀我到他家去。「楊江爲戶部候補員外郎，兩個月前喪母回衡州，其祖父楊健以湖北巡撫致仕。楊家是衡州城裏紳士中的首富。曾國藩對楊江相邀甚感興趣。忙問：「足下跟楊江熟？」

「十多年前，卑職和他在東洲書院同窗，彼此相處得還好。當即我便過河到了江東岸楊府。楊江說，他收到了大人的信，對大人在衡州訓練勤王之師十分欽佩，願意盡力襄助。這幾天，衡州城裏也有幾戶紳商與他計議捐餉事。」

「楊員外郎急公好義，眞是國家忠臣。」剛才還只是聽到遠處的雷聲，現在眞的要下雨了，曾國藩很高興。

「楊家是衡州城裏最有影響的士紳。只要楊家帶頭，幾萬餉銀就不難得到。不過，楊江說他捐銀可以，但有一點小小的要求。」

「他有什麼要求？」曾國藩的目光變得犀利起來，彭玉麟微微一怔。

「楊江說，請大人代他上奏皇上，准許爲其祖父在原籍建鄉賢祠。」

曾國藩摸著胸前的濃鬚，沉吟起來。他對楊健的情況是清楚的。楊健是衡陽人，嘉慶年間進士，授戶部主事，累官郎中，外任府、道、運司、藩司，道光初，升湖北巡撫，道光二十五年在衡州病逝。衡州籍京官歐陽光奏請入祀鄉賢祠。道光帝因楊健在湖北巡撫任上貪汚受賄，官聲惡劣而嚴斥不允。曾國藩時任詹事府右春坊右庶子，也譏嘲歐陽光的孟浪。現在却要自己出面，爲貪官楊健申請。歐陽光覆轍在前，豈不要重蹈嗎？不過，時過境遷，道光帝已換成了咸豐帝，且眼下軍情緊急，餉銀難得，皇上或許可以體諒。

「楊健入祀鄉賢祠一事，有奏駁在案。足下知道嗎？」曾國藩問彭玉麟。

「這件事，我從前也聽說過。楊中丞爲官的確欠清廉，但他已過世八、九年了。作古的人，也不忍心多指責。也搭幫他在生聚斂一批銀子，倘若是個擔月袖風的人，他的孫子再有心，也是空的。」

曾國藩淡淡一笑，沒有作聲。彭玉麟繼續說：「我們目前急需銀子，只要他肯拿出來就好。大人不妨爲他寫份奏摺，准不准是皇上的事。實在皇上不允，楊江也怪不得了。」

「他答應捐多少?」

「他說捐二萬兩。」

「楊家儲藏的銀子，少說也有二十萬兩。捐二萬，也太小氣了。」

「楊江說，待大人奏報朝廷，皇上允許後，他再捐五萬。」

「狡獪!」曾國藩在心裏罵了一句。

「楊江捐二萬是少了點，不過，他一帶頭，其他紳商都會捐一些，湊起來，大概也不會少於七、八萬。只是他們都希望朝廷能給他們以獎敍。」

「那是自然的。我會向朝廷奏明，為他們邀賞。」

「看來大人同意替楊江上奏了。」

曾國藩點點頭說:「一張紙換來七、八萬兩銀子，盡管要擔些風險，也是值得的。」

「我看不會有多大風險，大不了就是當年歐陽光那樣，斥責一通罷了。況且大人今天之舉，純為國家而作的權變，中間苦心，皇上一定會體諒的。」

曾國藩同意彭玉麟的分析，默默地摸著鬍鬚，不再作聲，他在思考這份奏摺應該如何措詞方為妥當。

二　出兵前夕，曾國藩親擬檄文

楊江一帶頭，其他紳商都跟著捐了些，幾天之內，居然募到了九萬兩銀子。各種規格的大炮近日內陸續運來一百座，曾國藩將銀子撥到各營，命令作好啓程準備。

看著水陸各營人馬這些日子來忙著擦磨刀槍，發放軍備，搬運糧草，修繕戰船，一派熱火朝天的戰前繁忙景象，曾國藩心裏又興奮又激動。已是午夜時分，蒸水和湘水交滙之處的石鼓嘴下，臨時搭起的修造廠裏，仍然燈光明亮，爐火熊熊。清脆的金屬撞擊聲，一聲聲傳進趙家祠堂。曾國藩站在頂樓上，深情地向石鼓嘴方向望去，似乎看見了從鐵砧上飛濺的火星，看見了圍觀湘勇紅通通的笑臉，一時心潮起伏難平。

曾國藩生性穩重，不是那種情感易起易落的輕薄人。自從跟著唐鑒研習程朱理學後，更是自覺要求爲人處世、辦事治學，多用理智、少用情感，他崇拜，也模仿學習那種從容鎮靜、藏大智於胸中而不露聲色的古代名相風度。然而今夜，一顆心却像走火入魔樣地不能安定。他點燃一支香，閉著眼睛，盤腿坐在床上，努力想像著當年謝安在淝水之戰前圍棋賭墅，得捷報後圍棋如故的那種超人理智，强制自己安定下來……

是的，曾國藩有千百條理由興奮激動。從「勿言一勺水，會有跤龍蟠」到「猶當下同郭與李，手提兩京還天子」到「樹德追孔孟，拯時儷葛亮」從少年到青年到中年，一種渴望建大功大業，做非常之人的理想，一直貫穿著他的一生。但過去，這種理想只流露在詩文中，間或也流露在與至親好友的書信談話中。這些年來，官運雖亨通，究竟沒有大功勛。今天，經過一年來忍辱負重、含辛茹苦的組建、訓練，他的手中已有水陸二十營一萬湘勇，加上長夫在內，將近二萬。他是這支人馬名符其實的統帥。只等他一聲令下，水陸兩路並進，旌旗蔽空，戰艦如雲，眞可謂浩浩蕩蕩、威風凛凛。今後，他將親自指揮這支人馬，殲滅長毛，收復失地，做郭、李、諸葛的事業。三十年來的理想，今朝一旦成爲現實，這個從荷葉塘走出，沒有祖業和靠山，全憑自我奮鬥的農家子弟，心情是何等的感慨萬端！

此刻，他想起蟒蛇精投胎的傳說，想起陳敷的預言。公侯將相，眞的已是指日之間的事了！當年的文弱書生，眞的已是扭轉乾坤的巨人了！

此刻，他也想起長沙市民「曾剃頭」的咒駡，想起鮑起豹、鄧紹良的驕橫，想起忍氣吞聲、移師衡州的痛苦。現在，這支湘勇已經建起來了，馬上就可以打勝仗，揚眉吐氣了！天下人即將看到，他曾國藩不是一個平庸的人！

此刻，他還想起皇上的殷殷厪注，想起恭王、肅學士的熱忱推薦，想起鏡海師以一生名望爲之擔保的極端信賴，渾身熱流滾滾。「我沒有辜負你們的厚望，我曾國藩將是拯世濟民的郭子儀、李泌！從此以後，將以頻頻捷報報答你們的知遇之恩！」曾國藩幾乎要從心底裏呼喊出來。

南國暮冬之夜，天氣仍然寒冷，今夜曾國藩却渾身燥熱，他解開舊棉袍上的布扣子，心裏有一種從未有過的快慰。遠外傳來一陣馬嘶，是値夜的馬伕在添加草料。「馬作的盧飛快，弓如霹靂弦驚。了却君王天下事，贏得生前身後名。」幾百年前辛稼軒的長短句，彷佛就在寫他此時的心情。而曾國藩比辛棄疾幸運，他不必發出「可憐白髮生」的悲嘆，他正當年富力强，就可建轟轟烈烈的功業！

「這樣一場堂堂正正的討逆之戰，出兵前夕，應當有一篇檄文！」由辛棄疾的詞，曾國藩忽然想到了駱賓王的《討武氏檄》。當年那場頃刻潰敗，不起任何作用的徐敬業的討伐，本該早被歷史淘汰，就因爲有駱賓王的那篇檄文，才使得一千多年來，人們談論不息。自己這次奉旨討伐，必將取得勝利，決不是徐敬業起兵所可比擬的，應當有一篇比《討武氏檄》更好的文章！它要以斑斕的文采、宏大的氣魄、傳神的文字、鏗鏘的聲調，伴隨著這場震古爍今的戰爭流芳百世，讓後人在讀這篇檄文時，緬懷前人的豐功偉績。

曾國藩覺得前代檄文雖多，但除駱賓王那篇外，都非好文章，那是因爲都是捉刀者所爲。一個以咬文嚼字爲職事的文人，怎能有三軍統帥那種吞吐天地的氣概和旋轉宇宙的雄心。這篇文章當由自己親手執筆！

是的，曾國藩本來就是個作文的高手。

進翰苑之初，他便跟著梅伯言入了桐城派的藩籬，對姚鼐的古文很喜愛，並贊同姚鼐的古文理論。曾國藩刻苦鑽研古文的寫作。幾年之間，他便名重京師，求其作文者絡繹不絕，連房師季芝昌的詩集付梓，都請曾國藩代爲作序；士人以求得曾國藩一篇文章爲光榮。曾國藩深受姚鼐的影響，喜氣勢浩瀚、瑰偉飛騰、雄奇壯大的陽剛之美，作起文來，氣勢充沛，聲光炯然。但他才思並不敏捷，每作一文，都要搜腸刮肚地冥思苦想，有時弄得精疲力竭。寫好後，改而又改，直到他滿意的時候，才拿出來給朋友看。這最後改定的文章，往往得到文壇的很高評價。但過去所作的數百篇文章，跟將要寫出的這篇檄文相比，算得了什麼！曾國藩想，那些詩序、文序、壽序，那些墓表、墓銘，要麼是借題發揮，要麼是無病呻吟，要麼是礙不過情面而言不由衷，即使寫得再好，也不過是一篇好文章而已，它決不能跟這篇檄文相比。這篇檄文可以振作士氣，贏得人心，威懾敵人，瓦解脅從。它的作用，甚至能超過一支雄師勁旅，不然自古以來，何以有「傳檄定天下」之說呢？在這樣的檄文面前，一切文人之作都將顯得軟弱無力、黯淡失色。而這篇檄文，今天却要出自於一個三軍統帥的筆下！這尤其使曾國藩激動不已。古往今來，檄文何止千百，有哪篇是統帥自己寫的！三軍統帥親擬討賊檄文，就憑這一點，也將以史無前例的榮耀記之於史册！

曾國藩越想越興奮，他熄滅香頭，走下床來，挑亮油燈，拿出湯鵬所送的荷葉古硯，用道光帝御賜徽墨磨出一硯濃汁，選一張細密綿軟的上等宣紙，握一管兼毫湖筆，迅速地寫出檄文的題目：《討粵匪檄》。然後離開書案，在房間裏背手踱步打腹稿。

油燈一閃一閃地跳躍，照著他疲倦而亢奮的長臉，照著他寬肩厚背的身軀，一會兒把影子拉得長長的，映在牆壁上，如同一根竹竿；一會兒又是一大片陰影，把半邊屋都遮了，如同起了半天烏雲。「這篇檄文一定要超過《討武氏檄》。」曾國藩想。他試圖不落駱賓王的窠臼，設計了幾種不同的佈局，但比來比去，都不如駱賓王的好。無奈，只得步駱賓王後塵，先來罵一通討伐的對象。剛提起筆，他又感到困難。駱賓王對武則天熟，武氏許多把柄都在他的手裏。但曾國藩對洪秀全、楊秀清一無所知，對長毛也不甚清楚。在被長毛俘虜的半天中，他也只感覺到長毛的凶惡，恨朝廷命官，但並沒有親眼看見他們做過什麼壞事。不過，長毛畢竟是可恨的，那天倘若沒有康福來救，頭早就被砍了。不管怎樣，長毛都是强盜之列，必須痛罵一頓，以激起國人的仇恨。他提筆寫起來。寫好一段後，又反覆斟酌字句，塗來改去，最後自己覺得滿意了，才輕聲念出來，看看抑揚頓挫、高低緩急的聲調如何：

為傳檄事。逆賊洪秀全、楊秀清稱亂以來，於今五年矣。荼毒生靈數百餘萬，蹂躪州縣五千餘里。所過之境，船隻無論大小，人們無論貧富，一概搶掠罄盡，寸草不留，其擄入賊中者，則剝衣服，搜括銀錢。銀滿五兩而不獻者，即行斬首。男子日給米一合，驅之臨陣向前，驅之築城浚濠；婦人日給米一合，驅之登陴守夜，驅之運米挑煤。婦女而不肯解脚者，則立斬其足以示衆婦。船戶陰謀逃歸者，則倒抬其尸以示衆船戶。

讀完這段後，他覺得聲調還可以。近來，曾國藩在軍務之暇，悟出了許多人世訣竅，他把這些訣竅歸之為「八本」：「讀書以訓詁為本，作詩文以聲調為本，事親以得歡心為本，養生以戒惱怒為本。立身以不妄語為本，居家以不晏起為本，作官以不要錢為本，行軍以不擾民為本。」他有時想，待長毛平定之後，在老家再蓋一棟房子，這棟房子裏典藏皇上的封誥和賜物，以及自己這些年所寫的奏摺底本、詩文日記和家中的圖書，這將這棟房子命名為「八本堂」，把這「八本」之說刻在堂上，讓它與皇恩和文册一起，傳給子孫後代，永保曾氏家道興旺。內容和聲調都使他滿意，曾國藩繼續寫下去。他想起去年出山前與郭嵩燾的對話。對！必須打起衞道的旗幟，以衞道教家來爭取人心，特別是要激起普天下讀書人的公憤。曾國藩寫道：

士不能誦孔子之經，而別有所謂耶穌之說、《新約》之書，舉中國數千年禮義之倫、詩書典則，一旦掃地蕩盡。此豈獨我大清之變，乃開闢以來名教之奇變，我孔子孟子之所痛哭於九泉，凡讀書識字者，又烏可袖手安坐，不思一爲也。

他覺得這段寫得很好，很有力量，是自己心中感情的眞切流露，也爲天下斯文之輩說出了久蓄於胸的義憤。接下去，曾國藩再將洪楊燒學宮、毀孔子木主，汚關帝岳王之像，壞佛寺道院城隍社壇等話寫了一段，他要以此激起全社會對太平軍的仇恨。最後，曾國藩宣布自己「奉天子之命，統帥二萬，水陸並進，誓將臥薪嘗膽，殄此凶逆」，並號召各方人士支持他。對這些人，或以賓師相待，或將奏請優敍，或授官爵，而反戈者將免死。如果誰「甘心從逆，抗拒天誅」，那麼「大兵一壓，玉石俱焚」。

全文寫完後，曾國藩通篇再讀一遍。讀著讀著竟大感失望了。這篇寫成的文字，與他盤腿坐在床上所想的那篇檄文，相差太遠了。無論從氣魄上，還是從行文上，都比駱賓王的《討武氏檄》大爲遜色。「超過」云云，從何談起！既缺乏「暗嗚則山岳崩頹，叱咤則風雲變色。以此制敵，何敵不摧；以此圖功，何功不克」的氣勢，又沒有「言猶在耳」，忠豈忘心，一抔之土未乾，六尺之孤何託」的悲憤，更沒有「請看今日之域中，竟是誰家之天下」那樣震爍千古的結尾警句。曾國藩翻來覆去地修改了幾遍，一直到雞叫，仍不能滿意。他無可奈何地嘆道：「看來這檄文，已讓駱賓王登峯造極了，後人竟無可超過。」說罷又搖搖頭，不服氣地想：世上哪有不能超過的事！昌黎說「氣盛則言之短長與聲之高下者皆宜」，莫非我的氣勢不如駱賓王？駱賓王不過一文人，自己堂堂三軍統帥，反不如他！曾國藩百思不解，直到遠遠近近的雞一齊叫起來，天已蒙蒙發亮，他才疲倦地放下筆，動手前的那股激奮情緒已消失大半了。

檄文寫好後，曾國藩命大量謄抄，四處張貼，務使鬧市僻壤，人人皆知。辦好這件事後，曾國藩又開始考慮另一件大事。

水陸兩支人馬，加上夫役在內近二萬人，一旦開出衡州，全力以赴的事，必將是行軍打仗。曾國藩想，自己的主要精力也將要擺在克敵制勝方面，因而必須建立一個類似朝中內閣那樣的機構，處理諸如發放文書、調配糧草銀錢、採買軍需給養等日常事務。這個機構以供應糧草為主，曾國藩給他取名為糧台。糧台下設八個所。文案所負責處理上下左右往來文書；內銀錢所負責調配安排湘勇內部水陸各營的銀錢；外銀錢所負責收發朝廷及各省各地撥、援、捐等銀錢；軍械所負責採買隨軍所用的各種器械，如軍服、帳蓬、馬匹等；火器所專門負責採買以大炮爲主的各種火器；偵探所負責情報偵探、軍報傳遞；發審所負責處理勇丁內部及勇丁與百姓之間發生的各種衝突案件；採編所專門採集編輯湘勇官兵忠義孝悌的材料上奏朝廷，以便獎掖忠良，激勵士氣。糧台委託黃冕、郭昆燾爲總管。同時，還在衡州設一捐局，接納各地紳商的捐助。此事便委託給內兄歐陽秉銓。

不久，衡州、湘潭兩處船廠稟報，已建成快蟹四十號，長龍五十號，舢板一百五十號。又建造一艘特大的船，名爲施罟，以五、六隻船拖著前進，作爲曾國藩的座船。同時還改造民船數十號，雇民船二百餘號，以載輜重。到了咸豐四年正月底，各個方面的準備工作，在周密的安排下，都大體就緒，曾國藩心裏鬆了一口氣。這時，朝廷又下達一道緊急命令，令曾國藩沿湘江北下，兼程赴援武漢。曾國藩決定正月二十八日由衡州啓程。

二十七日下午，曾國藩想起明天一早就要誓師北進了，心情無論如何也難以平靜。他焚香盤坐在床上，閉目凝神，半個鐘點後，心緒漸漸安靜。於是他請羅澤南過來品茗對弈。羅澤南前些日子又恢復了一營營官之職。經過那次挫折後，羅澤南變得更加老練深重了。金松齡的營官一缺，則由曾國葆代理。在平時的相處中，曾國藩對羅澤南，與任何人都不同，總以一種亦師亦友的態度對待。空閒時間，二人常在一起談些學問上的事。在對程朱理學的研究方面，曾國藩常自愧不如羅澤南。

曾國藩與羅澤南一局未終，親兵進來稟報：門外有個年輕的讀書人來訪。曾國藩一向謙卑抑己接待來訪者，尤其是讀書人。他吩咐收起棋盤，傳令立即接見。

三　青年學子王闓運的一番輕言細語，使曾國藩心跳血湧

那人進得門來，在曾國藩面前端端正正地行了一個禮，不卑不亢地自我介紹：「晚生王闓運拜見部堂大人。」

「足下便是王闓運？」曾國藩將王闓運細細地打量一番。見他相當年輕，約在二十歲左右，中等身材，寬長臉，兩隻眼睛烏亮照人，身穿灰色粗布棉袍，頭戴黑布單帽，腳著寬頭厚底單梁布鞋。雖穿著樸素，却神采奕奕。曾國藩心中喜歡，親熱地對王闓運說：「久仰，久仰，不必拘禮，請坐。」

曾國藩「久仰」二字，並非尋常文人見面的客套話，他的確早就聽說過王闓運其人了。那是王世全對他講的：一日，一個要飯的老花子，持著『欠食飲泉，白水焉能度日』的上聯，來到東

洲書院求對，一對難倒了書院那些飽學之士。後來，一年輕士子以『兩石磨粉，分米庶可充飢』的下聯對上了，才免去東洲書院之羞。此人便是王闓運。曾國藩欣賞王闓運的聰明。現在，這個聰明的士子自己來了，他自然高興。王闓運大大方方地坐下後，曾國藩問：「聽足下口音，好像是湘潭一帶的人？」

王闓運說：「晚生是湘潭雲湖橋人。去年來東洲書院求學。昨日在渡口拜讀《討粵匪檄》，知明公即日將揮師北上，蕩平巨寇，解民倒懸，故不憚人微位卑，特來明公處祝賀。」

曾國藩見王闓運口齒清爽，談吐不俗，心想此人果然有些才學，微笑著說：「半年來，湘勇在衡州，多蒙各界父老鄉親支助，現已初具規模。洪楊又轉而進犯湖北，踐踏湖南。國藩奉朝廷之命，近日即要出師，滅凶逆而衞家鄉，還煩足下代爲轉達鄙人對衡州父老的感激之情。」

王闓運忙站起，作了一揖，說：「明公在衡州訓練士卒，獎帥三軍，一掃衡州官場疲玩之積習，振作蒸湘士農工商之精神，功在衡清，有口皆碑，尤爲我東洲三百學子所傾心景仰。」

「足下過獎了。」

王闓運重新坐下，說：「晚生昨日誦讀《討粵匪檄》，此文筆力雄肆，鼓舞人心，其作用當不亞於一支千人勁旅。但願東南半壁，憑此一紙檄文而定。」

「倘能眞如足下所言，則實爲國家之福，萬民之幸。」

「《討粵匪檄》好則好矣，然此中有一大失誤。不知此文出自明公幕中何人之手，明公可曾注意否？」

曾國藩心裏吃了一驚，坐在一旁的羅澤南等人也感到意外。曾國藩素知「十步之澤，必有芳草；十室之邑，必有忠士」，何況眼前這位年輕人是個聰明過人的才子，決不能以世俗觀念看待他，他既然敢於進趙家祠堂來當面指出檄文的失誤，必然有一番深研。曾國藩不露聲色，摸著鬍鬚，和顏悅色地對王闓運說：「《討粵匪檄》倉促寫成，必定多有不妥之處，望足下坦率指出。」

王闓運侃侃而談：「大軍出師，頒發討伐檄文，以振人心而作士氣，向來爲統帥所重。故當年湯王伐桀，有《湯誓》傳世；武王伐紂，在孟津作《泰誓》，在牧野作《牧誓》。征討有罪，恭行天罰。徐敬業起兵伐武曌，駱賓王爲其作《討武氏檄》，千古傳誦，遂爲一代名文。明公出師衡州，此事將永載史册，爲當今天下第一等大事。《討粵匪檄》一文配合此次出師，自張貼之日起，便已傳遍衡州城內城外千家萬戶，日後也定當如《討武氏檄》一樣流傳下去。但可惜的是，此文廻避了洪楊叛逆的主要意圖。明公一定讀過長毛的《奉天討胡檄》。」

曾國藩想起被太平軍俘虜的那天夜裏，羅大綱要他抄的那份告示，於是點了點頭。

「不怕明公怪罪，恕晚生直言，洪楊的《奉天討胡檄》雖然膽大妄爲，罪不可赦，但就文論文，在蠱惑人心、欺蒙世人這點上，卻有它的獨到之處。文章開頭幾句就極富煽動性，其中如『用夏變夷，斬邪留正，誓掃胡塵，拓開疆土。此誠千古難逢之際，正宜建萬世不朽之勛。是以不時智謀之士、英杰之儔，無不瞻雲就日，望風影從。誠深明去逆效順之理，以共建夫敬天勤王之績也』等也能打動那些急功近利之輩。洪楊叛逆用來煽動人心的正是所謂『用夏變夷』、『誓掃胡塵』，此中禍心，惡毒至極，厲害至極。竊以爲《討粵匪檄》正要從此等地方駁斥起。然則遺憾的是，檄文繞過了它，使人讀後，覺得明公的軍隊不是勤王之師，倒是一支衞道之師、護教之師。」

曾國藩的掃帚眉微皺了起來，王闓運似乎沒有覺察到，繼續高談闊論：「其實，洪楊檄文不值一駁，說什麼滿人是夷狄、是胡人，純是一派胡言。若說夷狄，洪楊自己就是夷狄，我們都是夷狄。荊楚一帶，在春秋時爲蠻夷之地，我們不都是夷狄的後人嗎？滿州早在唐代，便已列入華夏版圖，明代還受過朝廷封爵，怎麼能說滿人不是中國人呢？」

王闓運這幾句話，如同石破天驚般震動了曾國藩和羅澤南等人。曾國藩坐在椅子上，斜眯著眼睛，將眼前這位剛過弱冠的後生刮目相看。自己在執筆爲文時，不是沒想到要批駁洪楊的夷夏之論，只是不好措辭，故有意廻避這個問題，著重在維護君臣人倫、孔孟禮義上作文章。難怪檄文力量不足，看來不是氣勢不夠，而是識見不高的緣故。「有志不在年高」，誠哉斯言！曾國藩微笑著說：「足下高見。足下年紀輕輕，便有如此見識，將來前程不可限量！」

王闓運起身答謝：「明公誇獎，晚生榮幸至極。請屏退左右，晚生尚有幾句心腹話要稟告明公。」

「請足下隨我到書房來。」

進書房後，王闓運自己關好門窗，壓低聲音對曾國藩說：「晚生愚見，《討粵匪檄》不宜再張貼，以免有人從中挑刺，議論長短。滿人入關二百年來，歷代都對漢人防範甚嚴。明公今有水陸萬衆，且皆爲明公一人所招，兵强馬壯，訓練有素，此爲我朝廷從未有過的事。朝廷對此，將會一喜一懼。望明公師出以後，於此等處時時加以檢點注意，免遭不測。」

曾國藩輕輕點了一下頭，王闓運把聲音再壓低：「明公治軍嚴明，禮賢下士，衡州有識之士咸以爲，明公乃當今扭轉乾坤之人物。秦無道，遂有各路諸侯逐鹿中原。來日鹿死誰手，尙未可預料，願明公留意。」

王闓運這兩句輕細得只有曾國藩一人聽得到的話，却如千鈞炸雷，使曾國藩爲之心跳血湧。他本想大聲斥責一句「狂妄荒謬」，但他看出王闓運純是一片好心，且又喜愛他的才識過人。對這種初次相見的有爲青年，他優加寬容。曾國藩採取廻避的態度。不予回答，說：「今日天色已晚，足下不必回東洲了，就在我這裏留宿一夜如何？」

王闓運學的是帝王之學，本想以這番主意作爲投靠曾國藩的進身之階，見他對此毫無興趣，亦不便再談下去。他極想在曾國藩身邊待一段時期，伺機再進言，於是高興地說：「謝明公美意。晚生擬近日到省城走一趟，不知大軍幾日啓程？」

「明日一早出發。」

王闓運大喜：「倘蒙明公允許晚生隨軍同行，則感激不盡！」

曾國藩滿口答應：「明日就請足下和糧台衆委員同船吧！」

王闓運拜謝。

四　曾國藩躊躇滿志，血祭出師；一道上諭，使他從頭寒到脚

第二天一早，石鼓嘴到演武坪一帶沸騰了。五千陸勇全部穿上清一色的新裝，什長以上的官員都配上了馬，刀槍晃動，戰馬嘶鳴。全體陸勇聚集在演武坪上，等待出征的炮響。五千水

勇全部登上新船。這些新船整齊地停泊在石鼓嘴下湘江水面上。近三百座西洋大炮已安裝在快蟹、長龍上。一個多月前還只是些不起眼的船民農夫們，現在神氣十足地站在洋炮邊，彷彿已變成了勇士似的。從桑園街渡口到石鼓嘴渡口一段的蒸水上，則停泊著臨時雇來的兩百多號民船，六七千夫役忙著裝上最後一批糧草煤鹽。

三聲炮響後，塔齊布、羅澤南等人率領陸營官兵從演武坪出發，走過青草橋，向北前進。曾國藩帶著郭嵩燾、劉蓉、陳士杰、黃冕等一批人來到石鼓嘴江邊，他們將在此乘船隨同水師順流北下。

江邊早已豎起一根兩丈多高的旗杆，旗杆用白漆刷得發亮，杆頂端掛著一面杏黃旗，旗上用黑絲線綉著斗大一個「曾」字。江風吹動著旗幟嘩嘩作響，吸引石鼓嘴上上下下成千上萬看熱鬧的百姓。旗杆旁邊擺著一張大方桌，桌上滿是點燃了的蠟燭、線香，桌邊有一只空木盤。離方桌十餘丈處，臨時搭起了一個帳篷，衡州知府陸傳應帶領衡陽、清泉兩縣縣令和各衙門官員，在這裏爲曾國藩等置酒餞行。

曾國藩在衆人簇擁下，來到石鼓嘴邊。因爲尚在喪期中，他仍著往日常穿的黑布舊棉袍，只是由於過度興奮，臉上泛著紅光，顯得神采煥發。他雙手抱拳，向四方圍觀人羣不停地拱手，算是對他們表示問候、答謝。山上山下發出一陣陣蠢動，許多人在高喊「曾大人！曾大人！」曾國藩徑直向旗杆邊的方桌走去。方桌前早已鋪好一塊蒲墊。曾國藩跪在蒲墊上，望天拜了三拜。

這時，一個團丁牽了一頭水牛走過來。這水牛雖然骨架龐大，但皮褐肉瘦，步履蹣跚，顯然是一頭已精疲力竭的老牛了。昨天，曾國藩臨時決定，要在湘江邊舉行隆重的血祭儀式，吩咐國葆買一頭牛來。國葆懂得血祭儀式的重要，在附近農家用高價買來一頭油光水亮、高大精壯的水牛。當國葆將牛牽到大哥面前時，曾國藩撫摸著牛背，很是滿意，隨後嘆了一口氣，對國葆說：「換一頭不能耕田的老牛吧！它還在出力之時，殺了可惜。」

於是換成了現在的這頭羸牛。昨夜，這頭牛被清水洗了三遍，又餵了些精飼料。清早起來，脖子上又套上一條彩綢。這頭老牛並不明白此行是在奔赴殺場，因受過昨夜的精心款待，今晨一反平日奄奄待斃的神態，居然揚起四蹄，歡快地走到石鼓嘴下。隊伍中走出十個穿戴鮮艷、年輕力壯的團丁，他們來到老牛身邊。八個人蹲下去，二人一組，分成四組，都用手捉住牛的四隻脚，前面兩人，一人捏住一隻角。只聽見牽牛的團丁發出一聲口哨，十個人同時一聲吆喝，將老牛掀翻在地。牽牛的團丁迅速從腰中拔出一把短刀來，朝老牛的喉管猛地一刺，鮮血從喉管噴出，一個小團丁趕快跑過來，用木盆將血接住。老牛在地上四蹄亂踢，全身痛苦地抽搐著，兩隻榛色大眼珠鼓鼓地望著蒼天，嘴裏發出一聲聲悲慘淒厲的叫吼。它掙扎一番，慢慢地氣竭力盡，終於平靜地躺在沙礫上，再也不動彈了。

國葆過來，雙手捧著牛血，走向跪在方桌邊的大哥身邊。曾國藩站起來，神色異常莊重地接過血盆，將它舉過頭頂，緩緩地走到旗杆邊，跪下，默默地禱告，然後站起，將牛血淋在旗杆上，看著暗紅色的鮮血順著潔白的旗杆流向土中。最後，他將木盆猛地一摔。隨著木盆落地聲，鑼鼓聲、軍號聲、鞭炮聲一齊響起，直震得地動山搖，水波晃蕩。

陸傳應率領文武官員們走過來，向曾國藩敬獻美酒一杯。曾國藩接過酒杯，用手指彈出幾滴落在地上，然後一飲而盡。隨之一陣歡快的嗩吶聲響起，陸傳應後面，兩個大漢抬著一面黑底金字橫匾走過來，那匾上漆著八個大字：「國之干城，民之矚望」。曾國藩喜出望外，雙手捧過，立即有親兵過來接了去。曾國藩拱手向陸傳應道謝：「陸太守，衡州父老所送的金匾，國藩擔當不起，請太守轉達一萬湘勇的謝意。國藩亦將勉力爲之，不負衆望。」

陸傳應說：「祝大人此去旗開得勝，早平逆氛，造福社稷。」

陸傳應說完後，王世全也捧著一杯酒走過來說：「大人，世全受東洲書院、石鼓書院四百學子的委託，向大人敬一杯酒，祝大人一路捷報頻傳，凱歌高奏。」

曾國藩笑著說：「國藩與全體湘勇深謝東洲、石鼓兩書院學子的美意。」

從世全後面也走出兩個青年學子，抬著一塊藍底白字橫匾恭恭敬敬地送給國藩。國藩看時，那匾上也是八個字：「剪滅邪教，衞我孔孟。」曾國藩也高興地收了。

鑼鼓軍號鞭炮聲又響起，曾國藩與衡州官員、東洲石鼓兩書院學子，以及衡州城裏昔日的親朋好友和半年來新交的各界人物，一一告別，滿懷著壯志將酬的豪情，邁著穩重的步伐，向停泊在江邊的拖罟走去。

正在這時，一騎飛馬從北邊奔來，踏過青草橋，直向石鼓嘴衝去。快到歡送的人堆邊時，馬上的人高喊：「曾大人接旨！」

曾國藩此時正走在跳板上，猛聽得「接旨」聲，趕緊停下脚步。飛馬已來到江邊，馬上坐的是巡撫衙門的聶巡捕。聶巡捕跳下馬來，對曾國藩說：「請大人接旨。」

曾國藩回到岸上，望北跪下。聶巡捕攤開聖旨，高聲念道：「前任禮部右侍郎曾國藩輕信一面之辭，爲革職降級業已亡故之前湖北巡撫楊健請入鄉賢祠，實屬大干律令，部議革職嚴辦。朕思曾國藩將統率湘勇北上剿賊，改爲二級留用。欽此。」

聶巡捕唸完後，江岸所有爲曾國藩送行的人莫不驚愕萬分，一齊望著跪在地上的曾國藩。只見曾國藩臉色鐵青，兩眼冷漠。他機械地說了聲「謝旨」，磕了一個頭，然後站起來，整整衣袍，昂首向跳板走去。

拖罟緩緩啓錨，水師按預定時間啓程了。望著漸漸遠去的衡州府城，曾國藩對此時忽然接到這樣一道聖旨百思不解。即使那份奏請完全不當，也不至於受這般重的處分，何況那份奏請用辭極爲穩當：「名宦以吏治爲衡，鄉賢當以輿論爲斷。」既然原籍輿論尚可，以一故巡撫而入鄉賢祠，又干了那條律令呢？更何況其孫今日有功於國！昨日王闓運書房密言浮現在曾國藩腦海裏，莫非是出於王闓運所指出的那個緣故？想到這裏，曾國藩從頭寒到了脚。在一萬湘勇喜氣洋洋，充滿著升官發財的熱望時，曾國藩的心頭却蒙上一層濃厚的陰影。

五　定下引蛇出洞之計

征湘軍首領石祥禎是翼王石達開的胞兄，今年二十八歲，長相酷肖翼王，英俊雄壯，是太平軍中一位傑出的青年將領。他手下三個副手，個個勇敢忠誠，三萬將士能征慣戰。這是一支眞正的雄兵。這次過洞庭南下，除服從於整個西征戰略部署外，還有一個目的，就是要爲戰死在長沙城下的西王蕭朝貴報仇雪恨。

曾國藩從衡州出師的當天，石祥禎帶領三萬將士以摧枯拉朽之勢一舉攻下岳州府，知府賈亨春棄城逃亡，巴陵知縣朱燮元投井自盡。接著華容、湘陰等縣相繼攻克。整個湘北，大半都在征湘軍的控制下。

大半年來隱藏在連雲山的周國虞三兄弟和幸存的六、七十號征義堂骨幹，在失敗中總結教訓，明白了溪澗之水只有滙入江河才能掀起波瀾的道理，當他們聽到太平軍重回湖南，在湘北一帶鬧得熱火朝天的消息後，遂一致決定投奔太平軍，接受太平天國的領導，加入拜上帝會。石祥禎、羅大綱等熱情接納了這批迷途知返的兄弟，並請周國虞參加征湘軍的領導。周國虞對湘北地形很熟悉，指出湘鄂交界之地的羊樓司地勢險峻，宜在此處打埋伏。石祥禎欣然接受這個建議，並由此而擬定了一個作戰方案。

離開長沙半年之後，統率連同夫役在內，水陸約二萬人馬的曾國藩，在朱張渡碼頭登岸，從小西門再次進入長沙城的時候，正是征湘軍控制湘北，對長沙和全省形成巨大壓力之際，湖南巡撫駱秉章必須依靠這支力量。他親率文武官員數十名到小西門外迎接，只有鮑起豹借口軍事緊急未來。朝廷終於准許了曾國藩的所請，以塔齊布爲長沙協副將，取代清德的地位，鮑起豹認爲這是對他的一次重大打擊。當前天在湘潭舟次接到這個上諭抄件時，曾國藩也的確認爲這是他與鮑起豹較量的一次大勝利。這個勝利，將降二級處分的那層陰影大爲沖淡。「皇上對我畢竟還是相信的。」曾國藩心裏想。

只在長沙停歇兩天，曾國藩便率領湘勇分別由水陸兩路向岳州進發。離城只有三十里了，探馬報，岳州城三萬長毛已捲旗退出城去。曾國藩一行兵不血刃地進了岳州城。眞個是旗開得勝！全體湘勇莫不高興萬分。

第二天清早，先鋒王鑫、李續賓帶著一千號勇丁，興沖沖地沿著岳州到武昌的大道進發，兩天行軍途中未見半個征湘軍影子。必定是望風而逃！從王鑫、李續賓到每個勇丁無不都是這樣看的。這夜，他們宿營羊樓司，連夜間巡邏的人都沒派一個。半夜時分，羅大綱、周國虞率領五千征湘軍從四周山裏衝出，他們擧著燈籠火把，持著刀槍，吶喊著向羊樓司鎭上奔來。湘勇毫無準備，睡夢中被驚醒，許多人連衣褲都找不到，王鑫、李續賓不敢戀戰，慌忙率部南逃，在羊樓司丟下了一兩百具屍體。

就在這個時候，埋伏在岳州城附近的石祥禎、曾天養、林紹璋率領二萬五千征湘軍，趁夜重新殺進岳州城，藏在城裏的周國材、周國賢等三百人與之配合，點火燒屋，殺死守城門的官勇，打開城門。駐紮在城裏的湘勇也沒有提防這一著，倉卒應戰，打不了幾下，便紛紛敗逃。曾國藩在康福的保護下倉皇逃出城外，幸而宿在洞庭湖上的彭玉麟、楊載福聞城內有變，匆匆率水師前來接應。曾國藩慌亂地上了船，朝長沙方向奔去。在鹿角附近，與從羊樓司敗下的王鑫、李續賓相會，湘勇水陸兩支人馬奪路逃命，直到過了湘陰後才喘過氣來。

將到長沙了，曾國藩不好意思進城，把船停泊在水陸洲附近，陸勇在城外紮營住下來。清點人數，共死散五百多人，哨官、哨長也丟了十餘名。曾國藩雖氣惱，但並不灰心。他總結教訓：失利在於虛驕輕敵。曾國藩不理睬城內官場中的閒言碎語，在城外整頓隊伍，下次再跟征湘軍決個雌雄。

岳州城原知府衙門裏，征湘軍首領們在大吃大喝，慶賀與湘勇開戰的首次大捷。周國虞說：「可惜讓王鑫、李續賓這兩個妖頭跑了。若捉住，非取出他們的心肝來祭死去的弟兄們不可。」

石祥禎說：「曾國藩這個老賊奸詐。他若和王鑫等人一同出城，這次要讓他來個出師授首。」

林紹璋說：「聽說曾國藩手下盡是一批書生在帶兵，難怪老子刀一舉，便嚇得他們屁滾尿流。來日再打幾仗，叫他們全軍死在湖南境內，確保武昌包圍戰不受干擾。」

羅大綱一直未開口。他在湖南多年，對湖南地形民情都較爲熟悉。進入湖南之初，石祥禎就委託他在軍事決策方面多出主意。待大家興奮心緒稍微平息下來後，他把幾天來所設想的一個計劃講了出來：「這次初與湘勇交鋒的勝利，給全軍是個很大的鼓舞。不過，我想曾國藩等人並非蠢才。這次失敗，也會給他們以教訓。與這個老賊打交道，還須謹愼爲是。」

石祥禎對羅大綱的話深表贊同：「驕兵必敗。大綱說得對，要切誡將士不要因這次勝利而驕傲。」

「現在，曾國藩又退到長沙。」羅大綱接著說：「我們要對長沙形成一個包圍之勢。緊靠長沙南面的第一個城市是湘潭。湘潭物產豐饒，城內糧食堆積如山，只有長沙協右營五百人駐紮在那裏，兵力很弱。且湘潭居水陸要衝，占領湘潭，不但可以得糧餉、壓長沙，還可以阻止曾妖頭南逃衡州。」

「大綱這個主意好，占領湘潭好比關住了南門。」周國虞很贊成這個計劃。

石祥禎也點頭說：「很好，你再說下去。」

羅大綱說：「以偏師攻取湘潭後，大軍再繼續南下，逼近長沙，在長沙附近，再與曾妖頭決一死戰。」

石祥禎說：「曾妖頭戰敗後，無顏進長沙城，但如果大軍進逼，他也會顧不得臉面而進城了。長沙城易守難攻。前年攻了八十餘天攻不下，曠日老師，不是辦法。」

曾天養說：「要吸取西王攻長沙的教訓，這次要想辦法將曾國藩這條毒蛇引出洞。」

「引蛇出洞。好主意！」石祥禎很贊成這個點子。

林紹璋說：「軍事瞬息萬變，難以在事先都料定好。我看偏師取湘潭之策，可以立即執行。國宗爺，就讓我帶一萬人馬把湘潭拿下來吧！」

「行！限你七天拿下湘潭。」石祥禎果斷答應。他想，如果曾國藩帶兵去救湘潭，毒蛇不就出洞了嗎？

次日，林紹璋帶著一萬人出發了。一路曉行夜宿，銜枚疾進。過汨羅鎮時，駐紮鎮上的綠營都司早已逃跑。林紹璋沒有在汨羅停留，繼續南下。第四天夜晚，部隊宿在橋頭鎮。爲不驚動長沙，決定翌日轉而西行，過湘江，沿小路繼續南下。在離寧縣城三十里的地方，林紹璋叫一名軍師帶三千人奇襲寧鄉。並吩咐拿下縣城後，即駐紮在城裏，不再趕到湘潭。林紹璋帶著餘下七千人，翻過稽茄山，從小道前進，過靳江，進駐姜畬市。第六天下午，彷彿從天而降似地出現在湘潭城下。長沙協右營守備崔宗光，做夢都沒想到西征軍會越過長沙來打湘潭。五百營兵平素驕懶慣了，這下都慌慌張張地爬上城頭。這五百少爺兵如何是七千征湘軍的對手，到掌燈時分，湘潭城便告易主。

在湘潭攻下的同時，石祥禎帶領大隊人馬從岳州南下，迅速收回湘陰。

湘潭失守的消息傳到長沙，駱秉章急忙來到水陸洲拖罟上，請曾國藩派勇奪回。曾國藩對此則另有想法。他想征湘軍既然分兵占領了湘潭，北邊一定兵力空虛，不如趁此機會衝過去，越過洞庭湖，趕到武昌城下。救武昌，是皇上屢次上諭中都强調的大事，湖南的長毛實力雄厚，讓駱、鮑去與之周旋。如果救援武昌成功，這個功勞就將震動天下。他將北進的想法提出跟身旁的謀士們商量，有贊成的，也有反對的。反對最力的，則是在衡州城裏搭船來到長沙的東洲書院學子王闓運。王闓運到長沙後，即去岳麓書院會友，前幾天才又來到曾國藩船上。他對曾國藩說：「衝出洞庭，救援武昌，自然是明公的出師宗旨，但目前此策不宜採用。湘勇初敗，軍威尚未復振，此次北進，倘若能衝出去誠然好。只恐衝不出去，前被麇集岳州的長毛攔截，後被占領湘潭的逆賊堵住，形勢則危矣。南下先救湘潭，勝則明公爲朝廷復一城池，戰功立見。萬一有失，則可退至衡州府，尚可徐圖再進。向南向北，還望明公三思。」

陳士杰也進言：「王壬秋此言極是。我聽人說，占據湘潭的賊首林紹璋有勇無謀，輕率大意。我軍拚命進攻，湘潭必可克復。」

塔、羅、彭等人都贊同王闓運的分析。於是曾國藩派塔、羅率領五營陸勇，彭、楊率五營水勇前去收復湘潭。

早有細作報告給駐紮在汨羅鎮的征湘軍老營，石祥禎召集衆人計議。祥禎說：「曾妖頭老奸巨滑，並不離開水陸洲，如何是好？」

曾天養說：「一定要把他引出來，擇一有利之地，一鼓聚殲。」

國虞說：「此去向南百餘里，離長沙城六十里左右，有一處名叫靖港的地方，爲溈水入湘江口，水流湍急，船易北下而難南進，且對岸銅官山，山深林密，便於伏兵，設法把曾妖頭引到此處，定叫他有來無回。」

「如何引他來呢？」石祥禎問。

是的，如何引蛇出洞呢？

六　利生綢緞鋪來了位闊主顧

這天上午，長沙城內利生綢緞舖裏，走進一位客人。此人年在二十歲左右，身穿一件簇新天青底醬色團花貢緞袍，頭戴一頂黑亮呢帽，帽額上嵌著一塊晶瑩透亮的紅寶石。他面色微傲，器宇昂揚，身後跟著兩個中年僕人。綢緞舖裏的帳房先生見來人這身打扮和氣概，知道不是貴公子便是闊少爺，趕緊起身上前去迎接：「少爺來了，請坐，請坐！」

帳房將來人帶進旁邊一間客廳，一邊張羅著倒茶遞烟，討好地笑著，試探問：「少爺尊姓，是來看貨的？」

一個僕人答：「這位是隆之清隆老爺的侄公子。」

「哦，原來是隆少爺，失敬失敬！」帳房滿臉盡是諂笑。

隆之清的父親曾在朝中當過戶部員外郎，後外放江西臬台，當了十幾年的地方官，爲家裏積蓄了萬貫家財。隆之清也做過幾任小官，四十歲便致仕，在家鄉銅官山下建起一座大宅院，管理著幾百畝水田和分布在長沙、湘潭、湘陰等地的十餘家店舖。長沙各大商號都知道銅官隆家是個財大氣粗的闊主顧。

隆少爺蹺起二郎腿，端著茶杯問：「孫老板呢？」

「孫老板有點小事出去了。」帳房向門外望了一眼，見舖裏幾個伙計都在忙著應付顧客，便起身拱手，「隆少爺寬坐片刻，敝人親自去叫孫老板來。」

趁著等老板孫觀臣的空閒，隆少爺將客廳瀏覽了一遍。房間不大，佈置得倒也整潔雅致，沒有一般店舖客廳的粗俗氣味，顯示出老板書香門第的出身。正面牆上的裝飾，尤其引起隆少爺的注意。這裏懸掛著三幅字畫。正中是一幅水墨畫。畫的是滿山大大小小的竹子，竹杆挺挺，枝葉森森，竹林上飄浮著兩三朵閒雲，旁邊蜿蜒一溪山水，林間飛躍著三、四隻杜鵑鳥。整個畫面情趣清幽，生機盎然。右上角題了四個字：蒼筤穀圖。隆少爺脫口說了聲：「好一幅墨竹！不亞於板橋手筆。」

畫的左右兩邊是兩幅字。隆少爺本無心細看，却瞥見上首那幅字的落款是「滌生曾國藩」五字，下首那幅的落款是「湘上農人左宗棠」七字，頓時生了興趣。

我家湘上高嵋山，茅房修竹一萬竿。
春風晨鋤劚玉版，秋風夜館鳴琅玕。
自來京華睱車馬，滿腔俗惡不可刪。
苦憶故鄉好林壑，夢想此君無由攀。
錢塘畫師天所縱，手割湘雲落此間。

風枝雨葉戰寒碧，明窗大幾生虛瀾。
簿書塵埃不稱意，得此亦足鐫疏頑。
還君此畫與君約，一月更借十回看。

再看左宗棠的字，也是一篇七言古風，也是十六句，也題作《題蒼筤穀圖》：

湘山宜竹天下知，小者蒼筤尤繁滋。
凍雷破地錐倒卓，千山萬山啼子規。
子規聲里羈愁逼，有客長安歸不得。
畫師相從詢鄉里，爲割湘雲入湘紙。
眼中突兀見家山，數間老屋參差是。
頻年兵氣纏湖湘，杳杳郊坰驅豺狼。
會縛湘筠作大帚，一掃區宇淨氛垢。
歸來共枕滄江眠，臥看寒雲歸谷口。

隆少爺看罷，嘴角邊露出一絲冷笑。「隆少爺光臨，敝人未及迎接，實在對不起。」孫觀臣剛進客廳，便高聲打著招呼。隆少爺起身作答：「孫老板，打擾了。舍弟擬今年端陽節完娶

「恭喜恭喜！」孫老板一聽，便知財神爺進了門，忙關心地問：「令弟娶的是哪家千金？」

「湘陰李文恭公的孫女。」

李文恭就是做過兩江總督的李星沅。又是一個大名鼎鼎的富家，孫觀臣心裏好不歡喜，對隆少爺說：「想必尚未用飯？」轉過臉吩咐帳房，「趕快到菜根香去叫一桌菜來！」

「家叔叫我到長沙、漢口一帶採買些綢緞首飾。」隆少爺慢條斯理地說：「久聞得利生舖綢貨齊全，孫老板爲人厚道，故特來寶號拜訪，並看看貨。」

「隆少爺光臨，是小舖的福氣。小舖雖談不上齊全，但在長沙城裏，不是敝人自誇，却也算得上第一家。敝人經商多年，向來把信譽看得比性命還重要。八方來客，敝人不但將他們當作主顧，也視如朋友。少頃吃完飯後，敝人陪同少爺看看貨，倘若還缺些什麼，只需少爺開個單子，要不了十天半月，必將貨物備齊。」

「孫老板果然商界豪傑，怪不得在長沙久享盛譽。聽說前年長毛圍攻長沙，孫老板仗義捐助巨款，使長沙城得以保住。家叔每提起此事，總是稱贊不已。」

前年孫觀臣迫不得已借出三萬兩銀子，回得家來，太太哭了幾日幾夜，帳房也說是出借荊……」

州，有去無回，他心痛了好久。後來太平軍走了，張亮基踐諾如數歸還，還給了三百兩銀子的利息，又說，待湖南全境安寧後，一定在紅牌樓鑄銅鐘刻名紀念。孫觀臣與黃冕、賀瑗、歐陽兆熊一起，頓時成了長沙城裏備受尊崇的英雄。太太和帳房也誇他有遠見。孫觀臣甚爲得意，對張亮基、左宗棠也很敬重。

「隆老爺客氣了，這是敝人分內事。」孫觀臣不無自得地謙讓。

「往日只聽說孫老板的豪放仗義，今日見客廳裏懸掛的字畫，更見孫老板雅量高致，且與湖南時下兩大名人交誼極深。」

「孫家與曾、左兩家原是世交，敝人與二位仁兄亦相識多年，不過，這幅畫與曾、左題詩，都與敝人並無直接關係。」

「那又爲何懸掛在寶號客廳中？」隆少爺奇怪地問。

孫觀臣正要說明，忽見菜根香的菜已到，忙說：「少爺與兩位貴價請入席，容在席間慢慢敘說。」

席上，孫老板殷勤相勸，隆少爺也竭力奉迎，二人十分親密。

「剛才少爺問起這字畫的事。」孫觀臣一邊擦嘴，一邊說：「這幅畫，原是家兄鼎臣在京師請人畫的，畫的是我們老家的山景。」

「怪不得孫老板一家芝蘭玉樹，昆仲連袂高中，原來貴府風光這樣好，眞可謂地靈人傑。」隆少爺有意恭維。

「少爺誇獎了。」孫觀臣心中高興，繼續說：「盡管京中有兄弟二人，但爲官日長，離家日久，這思鄉懷土之念是無法消除的，反而與日俱增。想得急了，大哥便請一位錢塘丹青名手，按自己的敍說畫了這幅蒼筤穀圖，將它掛在家中，公事完畢後便佇目凝視，彷彿回到了竹山衝，摸到了那根根挺拔直上的翠竹。」

「令兄風雅高情，在京師顯宦中怕是鳳毛麟角吧！」

「少雖少，但亦不乏知己。曾滌生侍郎便是一個。」孫觀臣又勸隆少爺喝酒吃菜，接著說：「那日，滌生侍郎到家兄處，見了這幅蒼筤穀圖，讚不絕口，在畫前站了一兩刻鐘，對家兄說他天天想著高嵋山，念記著山上的幽篁翠竹，只可惜回不去。家兄見他如此喜愛，便說送給你吧！滌生侍郎連說不敢，只提出借看半個月。半個月後送還畫，同時還送了一篇七言古風。」

「看來就是上首這幅了。」隆少爺指了指對面牆壁。

「正是。滌生侍郎詩、文、字俱佳，這篇古風發自眞情，尤其做得好，字也寫得出色，家兄甚是看重，叫人裝裱起來。去年冬，家兄回家省鄉，隨身把字畫帶了回來。一日，左師爺來訪。家兄拿出字畫，誇獎畫、詩雙絕。左師爺只微微發笑，不作聲。過幾天，他也送來一篇七言古風，題目一樣，句數也一樣。」

「左師爺是存心要與曾侍郎比一比高低。」隆少爺笑著說。

「少爺眞是猜到左師爺的心裏去了！」孫觀臣笑得滿臉肉堆起，兩眼眯成一條縫，整個頭臉，活像一個油光水滑的大肉丸。「家兄讀過左師爺的詩後，也是這樣說的。家兄也叫人裝裱起來。臨回京前，招呼我好好藏於家中，並說：『曾、左二人都是當世不可多得之人才，日後功名都不可限量，幾十年後，這兩幅字便是寶貝了。』我說：『滌生侍郎十年二十年之後，或許有入閣之望，但左季高已年過四十，仍爲布衣，這一生的出息怕不會很大。』家兄正色道：『你不會看人，左宗棠的發迹，只在這幾年之中。』果然給家兄言中了。駱中丞對左師爺現在是言聽計從，皇上也多次表彰，左師爺這不眞的要發迹了麼！」說完，又笑起來。

「原來如此，怪不得孫老板將這字畫掛在客廳中！」

孫觀臣沒有聽出隆少爺話中有話，仍然得意地說：「自這幾幅字畫張掛之後，小舖生意眞的興隆起來。長沙官紳名流都喜歡來坐坐看看，欣賞一番。不少人說，曾侍郎的詩雖比左師爺寫得好，但這篇古風却不及左師爺，左師爺的氣魄雄健、音韵的流轉。看來左師爺是比贏了！」

孫觀臣說得快活起來，起身走到牆壁邊，指著左宗棠題詩中的「會縛湘筠作大帚，一掃區宇淨氛垢」兩句話：「你看看，多有氣概，眞有力敵千軍，橫掃一切的魄力。曾侍郎的確比不上。」

孫觀臣只顧自己說，沒有看到隆少爺臉上已漸流露不快。他走到隆少爺身邊，問：「少爺以爲如何？」

隆少爺意識到了自己剛才的失態，忙換上笑臉說：「孫老板說得對，看來這壓倒元白的事，也是常有的。」

吃完飯後，隆少爺轉入了正題。

「舍弟的喜期定在端陽節。」

孫觀臣一直在等待著隆少爺談起買貨事，這時忙接言：「今天是四月初一，這不很快就到了嗎？」

「是不遠了，但可惱的是地方不靖。早幾天，靖港來了幾百號長毛，溈水、湘江上泊著幾十號戰船，弄得人心惶惶。家叔有心想在長沙採辦些衣料，又怕沿途遭搶竊；且長毛在靖港，喜事又如何好辦呢？老人家意欲將喜期推到中秋，一發等武昌安定後，再到漢口去採辦。」

孫觀臣一聽急了：「隆老爺也太過慮了，長毛能呆得多久，況且到漢口去買，盤纏要貴幾倍，划不來。」

「我也是這樣和家叔說的。再說孫老板是君子經商，靠得住。故一再勸說家叔打消出省採辦的意圖。」

「小舖日後還得靠少爺扶持，請少爺一定勸說老爺惠成這筆生意。」

「我是一心要與孫老板做個長久往來的主顧。你看，」隆少爺從靴子夾層裏取出一張紙來，「這是一千兩銀子的支票，且放在孫老板這裏作爲定金。你看如何？」

孫觀臣兩眼發亮，連聲說：「少爺眞是個誠信的人。少爺要什麼貨，小舖一定如期採辦，務必使少爺在老爺面前掙個全臉面。」

孫觀臣雙手接過支票，見它是滙豐錢莊的，忙愼重放進袖口裏。

「孫老板，這筆生意要做成，還得靠你合作。」

「是的，是的。」孫觀臣趕急答話，「不知少爺對貨物還有何吩咐？」

「孫老板沒理解我的意思。」隆少爺說，「我不是對貨物而言。我是怕靖港、銅官一帶不清靜，日後家叔又改變主意，或到漢口，或到上海去買，那時我雖有心成全，也是愛莫能助了。」

「少爺說得對。」孫觀臣又急了，「這倒是件難事。」

「呃，孫老板不是同曾侍郎很熟嗎？」隆少爺翹起二郎腿，摩挲著手中的青花瓷杯，似突然想起，不經意地說，「你可以請曾侍郎出兵呀！叫曾侍郎派兵剿滅長毛，靖港、銅官不就安靜了嗎？」隆少爺雙目炯炯地望著孫觀臣。孫觀臣爲難了：

「我叫曾侍郎出兵，能說得動嗎？」

「叫我看，能！」隆少爺湊過臉去，嚴肅地說，「曾侍郎不久前敗在長毛手中，在朝廷和湖南官場面前丟了臉，他急於要殺賊立功，挽回面子，一定會出兵的。何況，」隆少爺指著對面牆壁上的字畫說，「就憑這字和畫，他也不會拂你的請求呀！」

孫觀臣想，倘若說不敢去請曾國藩發兵，那是很失身分的事，況且生意也做不成了。無論如何要辦好這事。

「靖港到底有多少長毛？」孫觀臣問。

「家叔爲保鄉邑，曾派莊上團丁探過長毛虛實，長毛水陸合在一起不會超過五百。」

孫觀臣想了想說：「過兩天我去拜訪曾侍郎。」

「其實，明天倒是個好機會，不知曾大人不能抓住這個時機。」

「此話怎講？」

「孫老板，」隆少爺壓低聲音說，「明天是個長毛大頭領的生日，全體長毛都要大吃大喝一天。對於兵家來說，這不是個可遇不可求的好機會嗎？」

「眞的？」

「這還有假！從昨天開始，長毛就四處買肉買酒，操辦酒席了。」

「好！」孫觀臣拿定主意，「我今下午就去見曾侍郎。」

「孫老板，」隆少爺起身，「若是這筆生意做成了，臘月舍妹出嫁的衣料，也全部定在寶號。」

「一言爲定？」

「一言爲定。」

隆少爺隨便看了看貨，便告辭了。出了湘春門，三人相視哈哈大笑。一人說：「國賢兄弟，幸虧你是大家出身，眞正把個隆少爺扮得維妙維肖，那神態、那派頭，我們這些窮苦人是一輩子都學不出的。」

周國賢心裏很是痛快，說：「我是眞正當了二十年闊少爺的人，怎會不像。」

七　曾國藩緊閉雙眼，跳進湘江漩渦中

下午，孫觀臣趕到江邊，上了曾國藩的拖罟，將這一重要軍情告訴曾國藩。

「曾侍郎，這可是千載難逢的好機會，失之可惜呀！」

曾國藩摸著大鬍子，良久沒有作聲。向北出兵，這是他既定用兵計劃，消滅靖港這股長毛，符合這個計劃。曾國藩與孫觀臣的大哥關係非比一般，對孫觀臣，他也有好感。他覺得在前年那個危難關頭，孫觀臣能慨然借款，的確是個血性志士，今天前來要求出兵，固然是爲了做生意，但也有保境安民的好心在內，何況明天又確是個好機會。不過，他心裏還有點不踏實。

「隆少爺這人，你以前見過嗎？」曾國藩問孫觀臣。

「見過，見過。隆家是我的老主顧，每年都要和他家做幾筆大生意。」孫觀臣其實並沒有見過，隆家少爺，他知道曾國藩多疑，若說沒見過，曾國藩必定懷疑；何況他與那人談了個多時辰的話，可以斷定其人是千眞萬確的隆家少爺。倘若不是，怎會一段料子未買，先付下千兩銀子的定金？

曾國藩點點頭，自言自語：「長毛安排五百號人在靖港做什麼呢？」有了上次岳州的失敗，曾國藩愼重多了，發不發兵，他仍然沒拿定主意。

「滌師，管他做什麼！先把這五百號長毛收拾再說。」王鑫急著要報羊樓司之仇，在一旁竭力慫恿。

「滌師，靖港離此不遠，我看先派幾個人去打聽打聽，若確如隆少爺所說的，再發兵也不遲。」李續賓也想借這一勝仗來洗羊樓司之羞，但他比王鑫穩重些。

王、李二人的態度促使曾國藩下了決心。「倘若眞的只有五百人，」他在心裏盤算著，「水陸洲現有五千人，以十倍兵力前去剿洗，必勝無疑。這一仗打勝了，大可振作湘勇士氣。」

是的，曾國藩此時太需要打勝仗了！他終於採納了李續賓的建議。晚上，派出偵探的人回來稟報，隆少爺說的一切屬實。曾國藩終於決定出兵。

第二天，湘勇四更起床吃飯。王鑫、李續賓帶領全部陸勇，曾國藩坐著拖罟，親自指揮全體水勇，浩浩蕩蕩向靖港開出。一路順水，戰船很快駛到離靖港二十里水路的白沙洲。水師在白沙洲停下。不久，陸勇也趕到了。騎兵回頭報告：靖港鎭上正在殺豬宰羊，八仙桌擺滿了一條街。曾國藩大喜，下令水陸並進，水師在靖港登岸，陸勇過浮橋在靖港會師。

中午時分，湘勇水陸兩支人馬聚集在靖港。靖港鎭上，八仙桌雖擺滿街，却不見半個太平軍。正在疑惑之際，忽聽得一聲沖天炮響，埋伏在銅官山上的二萬太平軍將士一齊鑽了出來，一個個舉著大砍刀，吶喊著奔下山，像一股勢不可擋的急流衝過浮橋，壓向靖港。曾國藩看著漫山遍野的紅、黃包布，方知上了隆少爺的當，心中叫苦不迭。湘勇只知道靖港僅有五百長毛，滿懷輕易取勝的把握，眼前忽然出現的這種驚天動地的場面，完全沒有料到，個個嚇得膽戰心寒，尚未交手，先已氣餒腿軟。王鑫、李續賓只得強壓住陣脚，指揮湘勇迎敵。剛一接仗，湘勇便紛紛敗下陣來。靖港鎮上，四面八方響起「活捉清妖曾國藩」的吼叫。炮聲、鼓聲、脚步聲，彷彿雷鳴電閃。湘勇如同跌進八卦陣，不知向何處奔逃，只得退回江邊。曾國藩又氣又急，無計可施。看到一羣湘勇抱頭鼠竄，直向江邊奔來，他怒火中燒，慌忙抽出王世全所贈的寶劍，離船上岸，叫康福將一面軍旗插在江邊，自己仗劍立在旗下，鼓起三角眼高喊：

「有過此旗者，立斬不赦！」

潰勇被鎮住了，呆立在江邊，不敢前進，有幾個將功補過的，又硬著頭皮轉回去。這時，又一股潰勇猶如被狂風捲起的敗葉，沒頭沒腦地來到江邊。其中一個湘鄉籍小個子勇丁慌慌張張，只顧逃命，沒有看到曾國藩站在那裏，暈頭轉向地從旗杆邊跑過去。曾國藩恨得牙齒直咬，一劍刺去。小個太勇丁慘叫一聲，痛得在地上打滾，鮮血染紅了河灘。趁著曾國藩抽劍的時刻，一羣膽子較大的逃勇慌忙繞過軍旗，手忙脚亂地向停在江邊的戰船湧去，並不等將令，便扯帆開船，一面盲目地向兩岸開炮。許多湘勇則趁混亂之機脫下號掛，丟掉刀槍，躲進草叢樹後。周國虞和新近前來投奔的串子會大龍頭魏逵，帶著兄弟們從靖港街上衝過來，一路高喊：「抓住曾國藩！」、「殺死王鑫、李續賓！」、「爲弟兄們報仇的日子到了！」

曾國藩雖仍仗劍立在軍旗下，但已絲毫不起作用，一隊隊潰勇繞過軍旗，跳上戰船，倉皇逃命。浮橋頭邊，王鑫率領的一批敢死隊經過一番搏鬥，略佔上風，浮橋被湘勇奪過來了，但一批批潰勇却乘機從浮橋上逃跑，奔走在回長沙的路上。曾國藩氣得把劍扔到地上，命令康福帶人去拆橋。李續賓跑到曾國藩面前請求：「滌師，千萬莫拆橋，讓兄弟們尋一條活路吧！否則就要全軍覆沒了。你老也趕快上船吧，此仇來日再報。」

曾國藩看著如海浪般壓來的太平軍，以及全部亂了套、爭先恐後上船逃命的湘勇，無可奈何地直搖頭，但仍不願意上船。李續賓急得團團轉。忽然，有人高喊：「韋永富，射軍旗下那個大鬍子！」

語音未落，一支箭擦著曾國藩的左耳飛過去，他嚇得魂都掉了。李續賓、康福過來，將他硬拉上拖罟，立即開船。

這時，江面上括起了西南風，戰船逆風逆流而上，甚是艱難。李續賓逼著勇丁下船，到岸上去拉縴；褚汝航督促水勇放炮掩護。各船火炮一齊發射，終於勉强把後面追趕的太平軍壓住。沒有上得了船的勇丁，則四處尋路，翻山越嶺，丟盔卸甲地向長沙方向逃去。從開仗到全線崩潰，前後不過一頓飯功夫。

曾國藩坐在拖罟上，聽著後面追兵一聲聲「活捉曾妖頭」的喊叫，看著兩岸飛蝗般射來的箭，以及自己這副倉皇奔命的狼狽像，又惱又羞。自衡州出師以來，與長毛打的兩仗，都以慘敗告終，還不知湘潭那邊戰局如何，長毛如此詭計多端，怕多半也會失敗。辛辛苦苦訓練了一年、期望建不世之功的湘勇，竟是如此不堪一擊。曾國藩灰心至極。皇上的重託，恭王、肅學士、鏡海師的信任，自己的抱負，眼看都將化爲泡影。《討粵匪檄》中的那些大話，將會永遠成爲子孫後世的笑柄。想到這裏，曾國藩羞得無地自容。他閉住眼睛，眼前忽然出現了鮑起豹猙獰憤怒的面孔，徐有壬、陶恩培忌恨陰冷的面孔，駱秉章幸災樂禍的面孔，以及長沙官場形形色色不懷好意的面孔，心思又煩又亂，慢慢地，這些面孔合爲一張臉。這張臘黃狹長，兩隻尖細的眼睛，從鏡片後面射出寒冷的光來，死死地盯著他，乾瘦的喉管裏擠出啞澀的聲音：「先生，你今後不死於囚房，便死於刀兵。」曾國藩唬得睜開眼睛，這不是二十年前的司馬鐵嘴嗎！「活捉曾妖頭」的喊叫聲從後面鋪天蓋地壓來，似乎越來越近，越來越響了。他斷定司馬鐵嘴預言的這一天已經來到，今日必死無疑。他深知自己已與太平軍結下大仇，一旦被抓，結局只有這樣幾種：抽筋、剝皮、點天燈、五馬分屍、剜目凌遲、梟首示衆。哪一種都令他心驚肉跳。他一想到受刑時的痛苦，全身的血液都凝固了。「不行，我堂堂朝廷二品大員，豈能受長毛的侮辱，還不如自己一死乾淨」。曾國藩下定自盡的決心。他兩眼下垂，面色煞白，無神地望著艙外湍急北去的江水。怎麼也不能想像，這條從小深受自己喜愛的美麗多情的江水，今天居然會無情地吞噬自己的軀體。「命運呀，這是命運！」曾國藩在心裏絕望地長嘆了一口氣。

康福進艙來，見曾國藩死人般地呆坐在凳子上，兩隻眼睛已經木了，他猛然意識到情形不妙。康福悄悄退出，坐在艙外，一步不再離開。

船過白沙洲，曾國藩望準了艙邊有一個漩渦。他推開艙門，緊閉雙眼，縱身向漩渦跳去。康福聽見水響，見艙門大開，知是曾國藩投水，一邊大喊「救曾大人」，一邊跳進漩渦中。滿船人大驚，紛紛奔向船舷邊。康福水性好，很快就把曾國藩推出水面，船上人接住，把他抬進艙內。衆人見曾國藩一臉灰白，擔心已死。康福把手放到曾國藩鼻孔邊，覺察到一絲氣在出進，才放心。大家七手八脚給他換衣服。好半天，曾國藩才睜開眼睛，看見康福濕漉漉地站在旁邊，知是他下水救自己上來的。他怒視康福一眼：「你是想讓長毛侮辱我嗎？」

康福急中生智，忙笑著說：「大人，剛才長沙飛馬來報，塔副將在湘潭大獲全勝！」

曾國藩冷冷地說：「船在水上走，飛馬報信，你是如何知道的？」

康福不慌不忙地答：「璞山在陸路遇到報捷的騎兵，爲著使大人放心，特遣坐小划子前來相告。」

「人呢？」

「在後艙，待我去叫他。」

「不用了。」曾國藩又閉上了眼睛。

康福對著曾國藩輕輕地說：「大人，你老安心養神吧！一切到長沙後再說。」

曾國藩已無力再說話，平躺在床上，讓拖罟拖著他向長沙逃去。一路上風吹浪打之聲，他總疑心是長毛在追趕，直到靠近水陸洲，驚魂甫定。

八 左宗棠痛斥曾國藩

就在曾國藩靖港慘敗投水被救倉惶逃回水陸洲的這天傍晚，巡撫衙門西花廳裏，爲陶恩培餞行的盛大宴會正在進行。前幾天，陶恩培接到上諭，擢升山西布政使，限期進京陛見，赴山西接任。陶恩培心裏好不得意。一來升官，二來離開了長沙這個兵凶戰危之地。出席宴會的官場要員，城裏各界頭面人物，都殷勤向陶恩培致意。酒杯頻頻舉起，奉承話洋洋盈耳。這裏是榮耀、富貴、享受、升平的世界。正當駱秉章又要帶頭敬酒的時候，一個戈什哈匆匆進來，向各位報告靖港之役的消息。駱秉章爲之一驚。陶恩培却分外快活起來。一邊是蒙恩榮升，一邊是兵敗受辱。孰優孰劣，孰是孰非，不是清清楚楚了嗎？駱秉章的酒杯僵在半空，陶恩培主動把杯子碰過去，微帶醉意地說：

「中丞，你感到意外嗎？說實話，這早在我的意料之中。曾國藩這種目空一切的人，不澈底失敗才怪哩！」

駱秉章苦笑著喝了杯中的酒。心想，你陶恩培今夜就離開長沙了，你可以說風涼話，我怎麼辦呢？看來長沙又要被圍了。想起去年擔驚受怕的那些日日夜夜，駱秉章心裏害怕。鮑起豹喝得醉薰薰的，滿臉通紅，他放下手中的雞腿，嚷著：「怎麼樣？諸位，我早就把曾國藩這個人看透了。一個書生，沒有一點雞巴本事，眼睛却長到頭頂上去了。上百萬兩銀子拋到水裏不說，現在引狼入室，完全打亂了我的用兵計劃。」

說罷突然站起，對身邊的親兵大聲吼道：「傳我的命令，關閉城門，加强警戒，準備香燭花果，老子明天一早上城隍廟裏請菩薩。」

聽著鮑起豹下達的軍令，西花廳裏的氣氛驟然緊張起來。才過了幾個月的平安日子，又要打仗了，大家都無心喝酒吃菜，嘰嘰喳喳地討論開來。乾瘦的老官僚徐有壬氣憤地說：「練勇團丁，剿點零星土匪尙可，哪能跟長毛交戰呢！我去年有意將他們與綠營作點區別，免得刺傷綠營兄弟的自尊心。若不加區別，一體對待，大家說說，還有沒有朝廷的體面？他曾國藩還不滿，還要負氣出走，還要在衡州大肆招兵買馬，想要取代綠營，眞是不自量力！也是朝廷一時受了他的騙，結果弄得這樣，把我們湖南文武的臉都丢光了。」

唯獨左宗棠在那裏不語。他既爲鮑、陶、徐等人的中傷而憤懣，也爲曾國藩不爭氣而懊惱。忽然，鮑起豹又嚷起來：「駱中丞，我們聯名彈劾曾國藩吧！此人在湖南一年多來，好事未辦一樁，壞事數不清。這種劣吏不彈劾，今後誰還肯實心爲朝廷賣力？」

陶恩培、徐有壬立即附合。駱秉章穩重，他制止了鮑起豹的魯莽：「曾國藩兵敗之事，朝廷自會處置。至於彈劾一事，現在不忙，待朝命下來後再說吧！」

左宗棠坐在一旁氣得腮幫鼓鼓的，心裏罵道：「這班落井下石的小人！」

看看時候不早了，陶恩培想今夜如走不成，萬一長毛圍住了長沙，就脫不了身；若不幸城破身亡，那就寃枉透頂了。他站起身，對駱秉章和滿座賓客拱了拱手，說：「恩培在湖南數年，多蒙各位顧看，今日離湘，實不忍之至，且大戰在即，眞恨不得朝廷收回成命，好讓恩培在長沙和全城父老一起與長毛決一生死。只是一切都已安排就緒，今夜就得啓航。恩培感謝各位厚意，就在此與駱中丞、徐方伯、鮑軍門和各位告別了。」

說罷，擠出幾滴眼淚來。不知是爲陶恩培的深情和忠心所感動，還是想起馬上就要打仗而膽怯，很有幾個高級官員掩面哭泣。駱秉章說：「哪能就在這裏分手，我們都一起送陶方伯到江邊上船。」

當燈籠火把、各色執事前後簇擁著幾十頂綠呢藍呢大轎出現在江邊的時候，曾國藩正兀然坐在船艙裏，望著汩汩北流的江水出神，心想：湘潭並沒有勝仗的消息傳來，看來多半也敗了，長毛確實會打仗，怪不得兩三個月間，便從長沙一路順利地打到江寧。突然，他看到一列龐大的轎隊向他走來，心裏覺得奇怪：如此浩浩蕩蕩的隊伍深夜來到江邊，一定是湘潭獲勝了，駱秉章帶著文武官員們前來祝賀。自從岳州敗北逃到水陸洲兩個月了，除開左宗棠來過幾次外，從沒有一位現任官員登船看望過他。徐有壬、陶恩培等人好幾次送客到江邊，都不肯多走幾步上他的船，想不到今夜大出動。但他又不大相信，對康福說：「你上岸去看看，可能是駱中丞他們來了。打聽好了，就上船來告訴我。」

康福走後，曾國藩趕緊收拾一下，戴上帽子，穿好靴子。一會兒，康福進艙了，滿臉怒氣地說：「駱中丞倒是來了，但不是來看我們的。」

「他們到江邊來做什麼？」曾國藩不理解，不是來賀喜的，深夜全副人馬到江邊，爲的是何事呢。

「說是陶恩培榮升山西布政使，今夜剛在巡撫衙門裏結束了宴會，駱中丞、徐方伯等人親自送他上船。」

像重病之人盼來的不是救星而是死神，曾國藩頹然倒在船艙裏，嚇得康福忙把他背到床上。曾國藩想到自己如此辛苦勞累，親冒矢石，盡忠國事，得到的却是失敗、冷落，陶恩培嫉賢妒能，安富尊榮，尸位素餐，却官運亨通，步步高升。憤怨、不平、痛苦、失望，一時全部湧上胸膛。他睜開失神的三角眼，對康福說：「把貞幹叫來！」

曾國葆的貞字營(即原來的齡字營)死傷最重，聽到大哥叫他，垂頭喪氣地進了艙，走到床邊問：「大哥，這會子好點了嗎？」

「你帶幾個人到城裏去買一副棺材來。」

國葆大吃一驚，帶著哭腔說：「大哥，你不能再尋短見了，你要想開點！」

曾國藩鼓起眼睛吼道：「不要多說了，叫你去就去！」

大哥與滿弟之間相隔十七歲，國葆從來是敬兄勝過敬父。他盡管心裏十分不情願，也不敢與大哥頂嘴，只得說聲「好，我就去」，就退出了船艙。出艙後，他趕緊把這件事告訴康福、彭毓橘，叫他們務必不能離開半步。

透過船上的窗戶，曾國藩看見離他三百步遠的江邊燈火明亮，陶恩培滿面春風地與各位送行的文武官員，名流鄉紳一一拱手道別，各衙門和私人送的禮物，一擔接一擔地抬進陶恩培的坐艙。陶恩培的大小老婆們，一個個披紅著綠、花枝招展地被扶上跳板，一扭一擺地走進船艙。半個時辰後，陶恩培才登上甲板，在衆人一片重「珍重」聲中，官船緩緩啓動。然後，一頂接一頂的綠呢藍呢大轎氣派十足地向城裏抬去。似乎誰都沒有想到，有一個從靖港敗回的前禮部侍郎、現任欽命幫辦團練大臣就在離此不遠處。

曾國藩此時已萬念俱灰，決心一死了之。但既奉命辦事，就不能不給皇上最後一個交待。他提筆寫了一封遺摺：

為臣力已竭，謹以身殉，恭具遺摺，仰祈聖鑒事。臣於初二日，自帶水師陸勇各五營，前經靖港剿賊巢，不料開戰半時之久，便全軍潰散。臣愧憤之至。不特不能肅清下游江面，而且在本省屢次喪師失律，獲罪甚重，無以對我君父。謹北向九叩首，恭摺闕廷，即於今日殉難。論臣貽誤之事，則一死不足蔽辜；究臣未伸之志，則萬古不肯瞑目。謹具摺，伏乞聖慈垂鑒。謹奏。

寫完後又仔細看了一遍，改動兩個字，想了一下，又附了一片於後，片中稱讚塔齊布忠勇絕倫，深得士卒之心，請皇上委以重任，並保薦羅澤南、彭玉麟、楊載福等人。

遺摺遺片寫好後，曾國藩反覺得心靜了些。他想起應該向弟弟交待幾句辦理後事的話，於是又拿出一張紙來，寫道：

季弟：吾死後，趕緊送靈柩回家，愈速愈妙，以慰父親之望，不可在外開弔。受賻內銀錢所餘項，除棺斂途費外，到家後不留一錢，概交糧台。國藩絕筆。

現在，曾國藩輕鬆多了。他要好好思考一下，究以何種方式自裁：投水，還是上吊？

左宗棠的藍呢大轎緊隨著藩司徐有壬的綠呢大轎之後。對這種官場的虛文應酬，他深感厭倦，本不想到江邊來送陶恩培，只是因為想看看靖港敗退下來的湘勇陣營最近是否有所變化，才隨著駱秉章出了城。他看到水陸洲一帶船破桅斷，燈火稀疏，心中甚是不忍，決定明早再一人前來看望曾國藩。猛然間，他見前面有幾個人抬著一口黑漆棺材向江邊走去，在旁邊指指點點的竟是曾國葆！他心裏一驚，難道是曾國藩死了？不然，爲什麼由曾國葆親自監抬棺材呢？他吩咐停轎，待後面的轎隊過去之後，轎夫抬著他，飛速向曾國藩的大船奔去。

曾國藩見左宗棠進來，跟他打了聲招呼。左宗棠見曾國藩沒死，舒了一口氣，開門見山地質問：「聽說你在白沙洲投水自殺，有這事嗎？」

曾國藩點點頭。

左宗棠又問：「我方才見貞幹指揮人抬了一副棺材往江邊走，這副棺材是給誰的？」

曾國藩斜著眼睛回答：「鄙人自用。」

左宗棠突然心頭火起，大叫：「好哇！好個不忠不孝不仁不義的曾滌生，你大丈夫不做，却要效法愚夫村婦。你若眞的死了，我要鞭屍揚灰，勸說伯父大人不准你入曾氏祖墓。」

曾國藩沒想到左宗棠不但不勸慰他，反而來這樣一頓痛罵，又氣憤又尷尬，冷冷地問：「你說我不忠不孝不仁不義，理由何在？」

「好吧，讓我慢慢地說給你聽，使你心服口服。」左宗棠一屁股坐到曾國藩床邊，聲色俱厲地說，「你二十八歲入翰苑，三十七歲授禮部侍郎銜，官居二品，誥封三代，皇上對你的恩情，天高地厚，河長海深。洪楊作亂，朝廷有難，皇上委派你幫辦團練，指望你保境安民、平亂興邦，你却剛剛出師，便以受挫而自殺，置皇上殷殷期望於不顧，視國家安危爲身外之事，你忠在哪裏？」

曾國藩身冒冷汗，慘無血色的面孔開始出現緋紅，兩眼依舊微閉，躺在床上默不作聲。左宗棠繼續說：「令祖星岡公多次說過，懦弱無剛乃男兒奇恥大辱。你將祖訓書之于紳，發憤自勵，並以此教誡諸弟。京中桑梓，誰不知你曾滌生這些年來自强不息，是曾氏克家興業的孝子賢孫。現在一受挫折，便想一死了之。這不是懦弱無剛是什麼？上讓老父爲之傷心，下使弟子爲之失望。你死之後，何能在九泉之下見令祖星岡公？令尊大人在你出山前夕，庭訓移孝作忠，實望你爲國家作出一番轟轟烈烈的事業，流芳千古，使曾氏門第世代有光，你今日自殺，使父、祖心願化爲泡影，請問孝在何處？」

左宗棠的一番貌爲譴責，實爲信任的話，使得渾身僵冷的曾國藩漸有活氣。這個自詡爲今亮的怪傑，是充分相信自己能夠建功立業、流芳千古的啊！他從心裏感激左宗棠的好心，但嘴上却有氣無力地說：「國藩自盡，實因兵敗，不得已而爲之呀！」

左宗棠橫眉望了曾國藩一眼，根本不理睬他的辯白，依然侃侃而談：「一方水陸湘勇，從四處趕來投在你的麾下，他們都是你的子弟，猶如兒子投靠父母，幼弟依賴兄長一樣，眼巴巴地盼著你帶他們攻城略地、克敵致勝，日後也好圖個升官發財、光宗耀祖。現在，你全然不顧他們嗷嗷待哺之處境，撒手不管，使湘勇成爲無頭之衆，最後的結局只能落魄回鄉，過無窮盡的苦日子。這一年多來的辛苦都白費了，功名富貴也成了水中之月、鏡中之花。作爲湘勇的統帥、子弟的父兄，你的仁在哪裏？衆多朋友，應你之邀，放棄自己的事情來做你的助手，郭筠仙募二十萬巨款資助你。他們圖什麼？圖的是你平天下巨憝，建蓋世勛名，大家也好攀龍附鳳，青史上留個名字，也不枉變個男兒在世上活過一場。你如今只圖自己省去煩惱，却不想因此會給多少朋友帶來煩惱。你的義又在哪裏呢？這不忠不孝不仁不義八個字，只因你今日一死，便如同銅打鐵鑄，永遠伴隨著你曾滌生的大名……」

不待宗棠說完，曾國藩霍地從床上爬起，握著他的手說：「古人云『澳乎若一聽聖人辯士之言，涊然汗出，霍然病已』，這不是指今日的我嗎？國藩一時糊塗，若不是吾兄這番責罵，險些做下貽笑萬世的蠢事。眼下兵敗，士氣不振，尚望吾兄點撥茅塞。」

左宗棠想，曾國藩畢竟不是俗子，此番能夠復起，前途大有指望。他微露笑容說：「宗棠深怕仁兄一時氣極而懵懂，故不惜危言聳聽。滌生兄，我想你一定是見到今夜江邊送陶恩培榮升而更抑鬱。其實，這算得什麼！像陶恩培那樣的行屍走肉，宗棠從來就沒正眼瞧過。漫說他今日只升個布政司，就是日後入閣拜相，也不過是一個會做官的庸吏罷了。太史公說得好：『古者富貴而名磨滅不可勝記，唯倜儻非常之人稱焉。』不能在史冊上留下驚天動地、烈烈轟轟的豐功偉績，再高的官位也不值得羨慕。至於世俗的趨炎附勢，只可冷眼觀之，更不必放在心上。孫子云：『善勝不敗，善敗不亡。』經得起失敗，才會有勝利。失敗不可怕，怕的是敗後一蹶不振，缺乏不屈不撓的氣概。昔漢高祖與項羽爭天下，屢戰屢敗，最後垓下一戰，項羽自刎。諸葛亮初輔劉先生，棄新野，走攀城，敗當陽、奔夏口，幾無容身之地，最後才鼎足三分。這些都是仁兄熟知的史事，以宗棠之見，今日靖港之敗，安得不是日後大勝的前奏？此刻潰不成軍的湘勇，異日或許就是滅洪楊、克江寧的雄師！」

慷慨激昂的議論，意氣風發的神態，給曾國藩平添百倍勇氣。他握著左宗棠剛勁有力的雙手，久久說不出話來。

左宗棠摸摸口袋，猛然想起一件事，說：「昨日朱縣令來長沙，談起日前見到伯父大人情形。伯父大人臨時提筆寫了兩行字，托朱縣令帶給你。今日幸好放在我身上，你拿去看吧！」

左宗棠從衣袋中拿出一張摺疊得整整齊齊的紙條。曾國藩看時，果然是父親的親筆：「兒此出以殺賊報國，非直為桑梓也。兵事時有利鈍，出湖南境而戰死，是皆死所，若死於湖南，吾不爾哭！」父親的教誨，使曾國藩心酸：今日若眞的死了，何以見列祖列宗！他抖抖地重新摺好父親的手諭，放進貼身衣袋裏，才輕輕地舒了一口氣。

正在這時，康福興奮異常奔地進船艙，問候過左宗棠後，對曾國藩說：「大人，湘潭水陸大勝。十戰十捷，逆賊全軍覆沒，賊首林紹璋隻身倉皇逃走。」

「眞的？」曾國藩簡直不敢相信。

「眞的！這是塔副將的親筆信。」

曾國藩接過塔齊布的來信，兩行熱淚再也不能控制，簌簌流了下來。

九　白雲蒼狗

湘潭水陸全勝，把曾國藩和整個湘勇從死亡中挽救過來。不久，報捷的奏摺加上咸豐帝的朱批轉了回來。朱批大大嘉獎湘潭之捷，對岳州和靖港的失敗僅輕輕帶過，未加指責。尤使曾國藩感到意外的是，皇上嚴辭訓斥鮑起豹失城喪士之咎，並革了他的職，交部查辦，塔齊布被任命為湖南水陸提督，管帶湖南境內全體綠營，又撤銷了對曾國藩降二級的處分，准其單銜奏事。還有一點，是曾國藩做夢都不曾想到的：除巡撫外，包括藩、臬兩司在內的湖南所有文武官員，都可以由曾國藩視軍務調遣。這一道上諭，是咸豐帝對曾國藩最有力的支持，使湖南官場對曾國藩的態度澈底改變了。駱秉章帶著徐有壬、左宗棠等一班官員來到水陸洲畔，並抬來一頂八抬綠呢空轎，親來拜訪一直住在船上，被長沙官場冷落了兩個月的曾國藩。駱秉章異常親熱地對曾國藩問長問短，說起鮑起豹等人要上參摺，自己如何反對，對湘勇的能征慣戰，自己如何賞識等等。這種官場的極端虛僞，曾國藩見得多了，心裏不住地冷笑。經過左宗棠那一頓痛罵後，曾國藩對功名與事業、人情與世態，認識又大大加深一步。他知道自己今後仍需要駱秉章，需要湖南官場，故當駱秉章執意恭請他上岸，依舊回到原來審案局衙門去住時，他在幾經推辭後，還是上了駱秉章送來的大轎，帶著水陸營官和郭、劉、陳等一批參謀進了城。王闓運則在前次隨彭玉麟的船回湘潭雲湖橋老家去了。曾國藩坐在轎中，想起這一年來的酸甜苦辣，心裏很不是個滋味，特別是這幾天的變化，更令人感慨良多。「天上浮雲如白衣，斯須改變成蒼狗」。變幻難測的人世，眞比白雲化作蒼狗還來得快！

當天夜裏，藩司徐有壬便客客氣氣地單獨來審案局拜訪。寒暄畢，徐有壬說：「去年中元節的節禮，鄙人原擬綠營、練勇一體散發，不分彼此，怎奈鮑起豹堅持說不能發給練勇，不然，他的提督面上無光，並以辭職相要挾。也是鄙人生性軟弱，一時間少了主張，還望仁兄千萬勿掛在心上。」

曾國藩淡淡一笑，說：「徐方伯客氣了，區區小事，國藩早已淡忘，何煩再提。」

徐有壬放下心來，又說：「去年湘勇向衡州陸知府騰借的十萬兩銀子，我已通知陸知府，這批銀子就從藩庫裏增撥下去，不必再向湘勇討還了。」

曾國藩心想，這是拿朝廷的錢來結私人的感情。這種事，曾國藩也見得多了。湘勇現在缺的就是銀子，你既然送銀子上門，我就照收不誤。曾國藩客氣地微笑著說：「徐方伯厚意，國藩很是感激。」

徐有壬擺出一副誠懇的神態，說：「都是皇上的銀子，仁兄在為皇上辦事，何謝之有！湘勇不久就要出省與長毛作戰，隨營征戰，非鄙人所長，這後方籌款籌糧之事，鄙人則盡力而為。」

曾國藩心想，原來他是怕征調入營去擔驚受苦，便笑著說：「隨營征戰之事，哪裏敢勞動大人，若能為湘勇籌款籌糧，方伯之功，將莫大焉！」

徐有壬徹底放心了，滿意出門。王鑫看不過去，對曾國藩說：「何不委他個苦差事，讓他嘗嘗味道。」

曾國藩：「這種人骨頭軟架子大，派在軍中，反而誤了我的事。莫說他還拿了十萬兩銀子來，就是朝廷下令調他到軍中，我都不要。」

說罷，二人都笑起來。因徐有壬的到來，曾國藩想起一件大事，趕緊叫荊七到提督衙門去請塔齊布來。曾國藩對當初推出塔齊布的決策深爲滿意。倘若塔齊布不是滿人，何能如此快地得到朝廷的絕對信任！綠營在塔齊布的手裏，也就在自己的手裏。

塔齊布招之即來。曾國藩問：「塔提督，湖南綠營，你將如何統率？」

「綠營腐敗已甚，當今之務，首在嚴加整頓。」塔齊布不加思索地回答。曾國藩微微搖頭，說：「嚴加整頓，固是必行之事，但今日首務，却不在此。」

「爲什麼？」塔齊布感到奇怪，曾國藩不是常常說綠營已爛，必須下狠心割去爛肉嗎？

「塔提督，論資歷，你比得上鮑起豹嗎？」

塔齊布搖搖頭說：「遠不及。」

「去年鎭筸兵嘩變，衝進你的宅院要殺你，還記得嗎？」

「這仇恨永世不忘。」

「智亭兄，你資歷不及鮑起豹，軍中不服者必多；你記下鎭筸兵的仇恨，又必然引起鎭筸兵的害怕。這一個不服，一個害怕，綠營軍心能穩嗎？」

塔齊布感到事情嚴重了，他望著曾國藩，以祈求的口吻說：「大人，我是你老一手提拔上來的。我只有一句話，從今以後，死心塌地跟著大人。聽大人分析，我才知我這個提督位子尚在動搖之中。請大人明示，塔齊布一定照辦。」

「智亭兄，今日治綠營，當首在收撫人心，其手段只有一個字。」曾國藩伸出一隻手，清脆地吐出一個字來：「賞！」

塔齊布按曾國藩的指示，遍賞綠營將士，得六品軍功者，多達三千人。火宮殿鬧市的那幾個鎮篁兵，也都在賞賜之列，於是綠營皆大歡喜。塔齊布又特地請來鄧紹艮一道喝酒，鄧紹艮很受感動。綠營將士知曾國藩和新提督寬宏大量，不記舊怨，軍心立即穩定下來。

與遍賞綠營相反，對湘勇，曾國藩卻實行塔齊布所提出的「嚴加整頓」的方針。

第一個拿來開刀的便是曾國葆的貞字營。這個營在靖港戰役中最先潰逃，除開五十餘名跟著曾國藩敗退的勇丁外，包括曾國葆在內，一律開缺回籍，曾國葆不服氣，聽了大哥「正人先正己」的一番大道理後，勉强服從了。曾國藩把滿弟叫到書房，密談了大半夜，最後叮囑國葆，要國華、國荃各招募五百壯丁，用心操練。五百勇丁都當什長訓練，到時便可由五百立即變成五千。

由於貞字營先被撤掉，曾國葆帶頭回原籍，其他各營的整頓都很順利，共裁掉團丁三千餘人。岳州、靖港戰場上逃走的人，有的又想回來，曾國藩命令一個不收。他又乘著這個大好時機，將湘勇擴大一倍，建陸師二十營，水師二十營。又水陸二師分別設統領二人。陸師由塔齊布、羅澤南充當，一人管十營。水師由彭玉麟、楊載福充當，也是一人管十營。塔、羅、彭、楊均聽調於曾國藩。湘勇建制更顯得健全了。鮑超、申名標在湘潭戰場上打得勇敢，都被提拔當了營官。

每天，南門外操場由塔、羅負責訓練陸師，江面上由彭、楊負責訓練水師。曾國藩再忙，每天也要到操場、江邊去看看，訓訓話。曾國藩又吸取戚繼光用軍歌教育士卒的經驗，用心編了幾支通俗易懂的歌。又由精通樂理的郭嵩燾譜成曲，早晚教習。這些歌詞七字一句，將行軍打仗安營扎寨等要點都包括了進去。陸勇唱《陸軍得勝歌》，水勇唱《水師得勝歌》。幾天唱下來，從官到勇，個個都唱得流暢，記得爛熟了。每天上操下操路上，湘勇們高聲唱著軍歌，雖不動聽，但合著步伐，也還顯得整齊、威武，長沙城裏的百姓覺得十分新鮮。

湘勇的再次興旺給曾國藩帶來喜悅，他想到，幸而沒有死成，否則哪能看到今天的氣象！

他很感激救他性命的康福和左宗棠，思量報答他們。左宗棠是大才，今後可以大事相委托，眼下不著急。康福有統領之才，但曾國藩不想讓他離開自己身邊，他極需要康福這樣的保鏢。若讓他領統領的薪水，別人會說是因救自己而得到額外的好處，也或許會有人說，當初自己投水是做樣子的假死，不然，何以對救者這樣重報呢？曾國藩想來想去，想不出一個如何報答康福的好辦法。一次，他偶爾翻閱野史，上載鰲拜厚報塾師的故事。他覺得這個方法好。於是暗地叫荊七到沅江去，以康福的名義買下一座大宅院和三百畝水田。遷一戶老實人住進宅院，每年代康福收這三百畝水田的租。不久，康福知道了這事，十分感激曾國藩的厚賜，對曾國藩更加忠心耿耿。康福有救主帥之恩，又並沒有加薪晋官，湘勇上下也都稱贊曾國藩不以官祿報私恩的品德。

這時，天天都有西征軍圍攻武昌的消息傳到長沙，曾國藩與大家日夜商議，準備救援鄂省。

一日下午，曾國藩正在書房讀書。曾國藩的書房原自名爲「求缺齋」。有一次，他深夜之中高聲朗誦古文，在前人的妙辭巧構和自己的抑揚頓挫聲中進入一種藝術境界，領略到極大的樂趣。他想起孟子說過「君子有三樂」的話，總結出自己的三大樂趣：宏獎人才，誘人日進，一樂；讀書聲出金石，飄飄意遠，二樂；勤勞而後憩息，三樂。一時高興，他把「求缺齋」易名為「三樂書屋」。這天讀的是《史記．高祖本記》。曾國藩深為漢高祖稱讚蕭何、韓信、張良的一段話所吸引。他想，劉邦起事前，不過泗水一亭長，文武兩方面都平平，後之所以有天下，實仗三傑之功，而使三傑各盡其才，這便是劉邦的才能。自己在帶兵打仗這方面，既無才能又無經驗，靖港之敗便是明證。今後務必要讓塔、羅、彭、楊等人充分施展其才，還要多多發現、物色人才。正思忖間，親兵來報：「門外有一人求見，自稱大人故人胡林翼。」曾國藩心裏喜道：「吾之蕭韓來了。」立即放下《史記》，奔出門外。

十　兄才勝我十倍

曾國藩和胡林翼在翰林院共事一年，彼此年齡相仿，又同為湖南人，故相交親密。道光二十一年，胡林翼之父詹事府右詹事胡達源病逝，胡林翼奉父柩回益陽原籍。曾胡二人便在那年分手了。三年喪期滿，胡林翼捐貴州安順府知府，後又改鎮遠府知府、黎平府知府。在知府任上，因組織鄉勇鎮壓苗民動亂有功，升為貴東道。吳文鎔在貴州巡撫任上，極看重胡林翼的軍事才幹，到武昌署理湖廣總督後，急向朝廷求調胡林翼來湖北支援。胡帶六百鄉勇來到金口時，吳文鎔已陣亡。胡不願投靠接任的荊州將軍旗人台涌，於是將六百鄉勇留在金口，隻身來到長沙，與曾國藩、左宗棠商量進止。

「潤芝兄！」曾國藩望著一身戎裝的胡林翼，親熱地說：「多年不見，兄台與昔日相比，更顯得雄姿英發了。」

胡林翼也異常高興地說：「自道光二十一年先父棄養，林翼離京回籍，與仁兄分別已經整整十四年。雲樹之思，無日不萌。知仁兄這些年春風得意，今又統率雄兵兩萬，戰將百員，拯國難，紓君憂，林翼不勝仰慕之至。」

二人攜手來到書房，親兵獻茶畢。曾國藩深情地對胡林翼說：「前年八月，國藩不幸聞母喪，遂從江西主考任上急回湘鄉。後奉朝廷幫辦團練之命，思欲負山馳河，挽吾鄉枯瘠於萬一，遂來省與張石卿中丞、江眠樵、左季高等招募鄉勇，組建軍營。誰知國藩非帶兵之才，初與長毛交手，便兩次敗北，幸賴塔、羅、彭、楊諸君之力，免使全軍覆沒，蒙皇上高恩寬恕，今再次組建。兄台練兵，成效卓著，弟與季高、羅山等常以兄台大才振刷相勛，屢稱台端鴻才偉抱，足以救今日之滔滔。」

「滌生兄太客氣了。貴州乃荒僻之地，林翼所做之事，實不值一提。長毛巨寇，其強悍善戰，古今少有，且勝敗兵家之常，林翼今見湘勇軍營整肅，甲胄鮮明，來日大勝，定可預卜。」

正說話間，左宗棠聞訊趕來。胡林翼正妻乃陶澍第七女靜娟。按輩分，左宗棠比胡林翼高一輩。但實際上，左胡同年，胡比左還大四個月，故二人之間，始終以兄弟相稱。寒暄之後，宗棠說：「聽說仁兄應吳文節公生前之邀，率領六百鄉勇來到湖北。現在吳公殉國，仁兄何進何止？」

「林翼正爲此事來與二位仁兄相商。」

「湘勇即將北上援鄂，正缺乏大將。兄才勝我十倍，若不嫌棄，這支人馬就由我兄統率，國藩和季高爲仁兄籌餉補員，做個鎮國家，撫百姓，給饋餉，不絕糧道的蕭何吧！」曾國藩說罷大笑。

胡林翼連連擺手，說：「滌生兄眞會開玩笑，篳路藍縷，艱苦創業，你是衆望所歸的湘勇統帥，林翼何能望兄之項背。」

左宗棠覺得曾國藩此話有些矯情虛僞，便斷然說：「滌生不必讓出寨主之位，潤芝也不要再回貴州。六百黔勇由湖南藩庫發餉，潤芝就協助滌生，一道北進吧！」

由於左宗棠去年建議到南門外操場犒勞湘勇，靖港敗後，又到舟中斥勸曾國藩，使得駱秉章對左宗棠的卓越識見十分敬佩；平時相處之中，駱秉章常為左宗棠辦事的魄力、幹練所折服，因而對左宗棠很是看重，甚至到了言聽計從的地步。故左宗棠可以儼然用巡撫的口氣，對此事作了安排。

胡林翼正愁這六百鄉勇的糧餉無著落，便慨然相允：「林翼遵季高之命，從今以後就在滌生兄帳下作一偏裨。」

曾國藩也謙讓一番，就定下了此事。胡林翼說：「林翼蒙滌生兄收容，無以為報，今特獻曹操烏巢斷糧敗袁術之計，作為見面禮。」

曾國藩高興地說：「請言其詳。」

胡林翼說：「我在金口十餘天，探知長毛糧草多聚於通城、崇陽兩城。此次北進，宜分頭行動，派一軍先攻通城、崇陽，奪其糧草。」

曾國藩和左宗棠幾乎同時說：「這是一條好計。」

數日後，曾國藩湘勇水陸三路大軍在長沙誓師出發，救援武昌。這三路是：第一路，由塔齊布、羅澤南等人率領七千人馬，沿汨羅、岳州、臨湘、蒲圻、咸寧、紙坊一路進武昌；第二路，由胡林翼、李元度等人率領三千人馬在奪取通城、崇陽的太平軍糧草後，再投咸寧大道進攻武昌；第三路是水師，由彭、楊統領，出洞庭湖，從臨湘、嘉魚、金口東進武昌。三路人馬正要啓程，親兵報，湖北巡撫青麟帶一千饑疲之兵已到湘春門外，曾國藩聞之大驚，跌足歎息：

「看來武昌已經丟了。」

曾國藩

MEMO

國家預行編目

曾國藩血祭／唐浩明著.--初版.--臺北縣中和市：
漢湘文化, 1993〔民 82〕
面；　公分.--（歷史經典；1-3）
ISBN　957-8753-02-0 （平裝）
857.7　　　　　　　　　82002749

歷史經典二

曾國藩血祭・卷二（全書三卷——血祭、野焚、黑雨）

發 行 人／胡明威
作　　者／唐浩明
執行編輯／巫曉維
企劃印務／范揚松
行政秘書／余綺華　高伊姿
出 版 者／漢湘文化事業股份有限公司
台北縣中和市中山路二段三五〇號五樓
電話（02）22452239　傳真（02）22459154
E-mail:hanshian@mail.book4u.com.tw
郵撥帳號／1697754-9
户　　名／漢湘文化事業股份有限公司
電腦排版／陽明電腦排版公司
內文製版／俊昇印製事業股份有限公司
內文印刷／全力印刷有限公司
裝　　訂／吉翔裝訂印刷有限公司
電話（02）2962-7511
登 記 證／文聞・蔡兆誠・黃福雄・王玉楚律師
1993 年 4 月初版一刷　2001 年 8 月初版六刷
單本定價 160 元　套裝九本特價 1,250 元
本書透過中國湘普信息公司獲得國際中文繁體字版權

線上總代理◆華文網股份有限公司
網　　址◆http://www.book4u.com.tw
〔紙本書平台〕華文網網路書店
〔電子書平台〕Online Books 電子書中心　華文電子書中心
香港總經銷◆漢鴻圖書有限公司
香港九龍塘觀開源道 55 號開聯工業中心 A 座 1226
電話：002-852-2343-8466　傳真：002-852-2343-8440

總經銷
旭昇圖書有限公司
地址：台北縣中和市中山路二段 352 號 2F
電話：(02) 2245-1480　傳真 (02) 2245-1479

廣　告　回　信
北區郵政管理局登記證 北　台　字6571號
免　貼　郵　票

漢湘文化事業股份有限公司

地址：台北縣中和市中山路二段350號5樓
電話：（02）2245-2239
傳真：（02）2245-9154

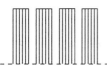

姓名：＿＿＿＿＿＿

性別：＿＿男　＿＿女

生日：＿＿年＿＿月＿＿日

電話：（　）＿＿＿＿＿＿

傳真：（　）＿＿＿＿＿＿

地址：＿＿＿＿＿＿＿＿＿＿＿＿

請沿虛線剪下裝訂，謝謝！

讀者服務卡

謝謝您購買這本書。
爲加強對讀者的服務，請您詳細塡寫本卡各欄，寄回給我們（免貼郵票），您即可收到本公司的出版訊息。

您購買的書名/ ______________________

購買地點/ ______________ 縣市 ______________ 書店

教育程度/□高中以下（含高中） □大專 □大學 □研究所（含以上）

職　　業/ ______________ 職位別/ ______________

您目前迫切需要哪方面的知識？ ______________

您覺得本書封面及內文美工設計/

□很好 □好 □差 □很差

您對書籍的寫作是否有興趣？

□沒有 □有（我們會盡快與您聯絡）

100字書評（請寫下您閱讀本書的心得及感想）

其他建議（請列出本書的錯別字，當另外致贈精美禮品）：

漢湘文化

閱讀新視界・生活新主張

漢湘文化
閱讀新視界・生活新主張

漢湘文化

閱讀新視界・生活新主張